#수학심화서
#리더공부비법
#상위권으로도약
#학원에서검증된문제집

수학리더
응용·심화

Chunjae
Makes
Chunjae

▼

기획총괄	박금옥
편집개발	지유경, 정소현, 조선영, 최윤석
디자인총괄	김희정
표지디자인	윤순미, 박민정
내지디자인	박희춘, 한새미
제작	황성진, 조규영

발행일	2022년 4월 1일 3판 2023년 4월 1일 2쇄
발행인	(주)천재교육
주소	서울시 금천구 가산로9길 54
신고번호	제2001-000018호
고객센터	1577-0902
교재 구입 문의	1522-5566

수학 리더
응용 심화 4-2

응용 심화서 **차례**

이 책의 구성과 특징

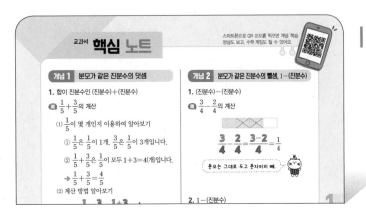

▌교과서 핵심 노트

단원별 교과서 핵심 개념을 한눈에 익힐 수 있습니다.

기본 유형 연습 ❶단계

주제별 교과서·익힘책 수준의 문제를 통해 배운 개념을 확실하게 익혀 봅니다.

기본 ➕ 유형 연습

하나의 유형을 반복해서 연습해 보며 실력을 키워 봅니다.

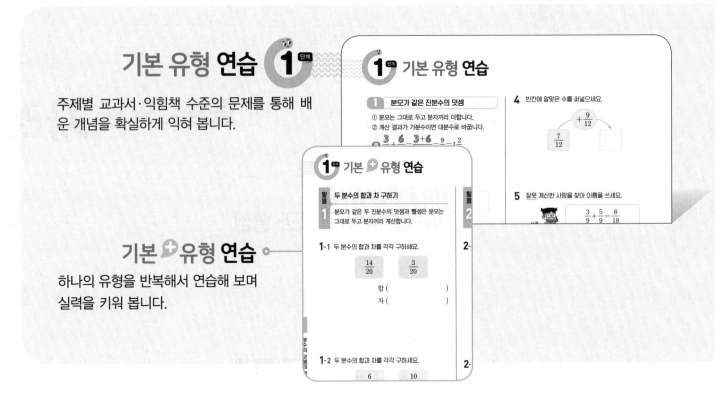

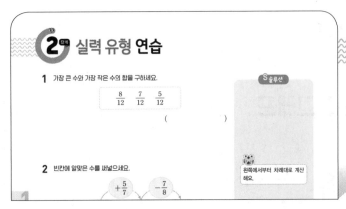

❷단계 실력 유형 연습

학교 시험에 자주 출제되는 다양한 실력 문제를 풀어 봅니다.

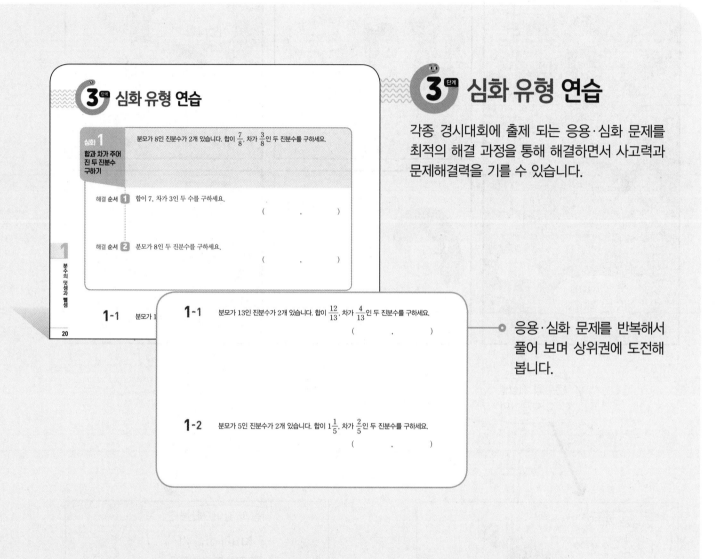

3단계 심화 유형 연습

각종 경시대회에 출제 되는 응용·심화 문제를 최적의 해결 과정을 통해 해결하면서 사고력과 문제해결력을 기를 수 있습니다.

응용·심화 문제를 반복해서 풀어 보며 상위권에 도전해 봅니다.

단원 실력 평가 Test

각종 경시대회에 출제되었던 기출 유형을 풀어 보면서 실력을 평가해 봅니다.

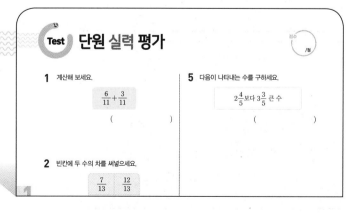

1 분수의 덧셈과 뺄셈

개념 1 분모가 같은 진분수의 덧셈

1. 합이 진분수인 (진분수)＋(진분수)

예 $\frac{1}{5}+\frac{3}{5}$의 계산

(1) $\frac{1}{5}$이 몇 개인지 이용하여 알아보기

① $\frac{1}{5}$은 $\frac{1}{5}$이 1개, $\frac{3}{5}$은 $\frac{1}{5}$이 3개입니다.

② $\frac{1}{5}+\frac{3}{5}$은 $\frac{1}{5}$이 모두 1＋3＝4(개)입니다.

➡ $\frac{1}{5}+\frac{3}{5}=\frac{4}{5}$

(2) 계산 방법 알아보기

$$\frac{1}{5}+\frac{3}{5}=\frac{1+3}{5}=\frac{4}{5}$$

분모는 그대로 두고 분자끼리 더해.

2. 합이 가분수인 (진분수)＋(진분수)

예 $\frac{3}{4}+\frac{2}{4}$의 계산

$$\frac{3}{4}+\frac{2}{4}=\frac{3+2}{4}=\frac{5}{4}=1\frac{1}{4}$$

대분수로 바꿉니다.

① 분모는 그대로 두고 분자끼리 더합니다.
② 계산 결과가 가분수이면 대분수로 바꿉니다.

참고 가분수를 대분수로 나타내는 방법

예 $\frac{5}{4}$는 $\frac{4}{4}(=1)$와 $\frac{1}{4}$이므로 $1\frac{1}{4}$입니다.

➡ $\frac{5}{4}=1\frac{1}{4}$

개념 2 분모가 같은 진분수의 뺄셈, 1－(진분수)

1. (진분수)－(진분수)

예 $\frac{3}{4}-\frac{2}{4}$의 계산

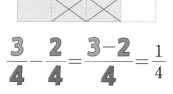

$$\frac{3}{4}-\frac{2}{4}=\frac{3-2}{4}=\frac{1}{4}$$

분모는 그대로 두고 분자끼리 빼.

2. 1－(진분수)

예 $1-\frac{3}{8}$의 계산

(1) $\frac{1}{8}$이 몇 개인지 이용하여 알아보기

① 1은 $\frac{1}{8}$이 8개, $\frac{3}{8}$은 $\frac{1}{8}$이 3개입니다.

② $1-\frac{3}{8}$은 $\frac{1}{8}$이 8－3＝5(개)입니다.

➡ $1-\frac{3}{8}=\frac{5}{8}$

(2) 계산 방법 알아보기

$$1-\frac{3}{8}=\frac{8}{8}-\frac{3}{8}=\frac{8-3}{8}=\frac{5}{8}$$

가분수로 바꿉니다.

① 1을 가분수로 바꿉니다.
② 분모는 그대로 두고 분자끼리 뺍니다.

참고 1은 $\frac{\bullet}{\bullet}$와 같이 분모와 분자가 같은 가분수로 나타낼 수 있습니다.

개념 3 분모가 같은 대분수의 덧셈

1. 진분수 부분끼리의 합이 진분수인 (대분수)+(대분수)

예 $1\frac{1}{4}+1\frac{2}{4}$의 계산

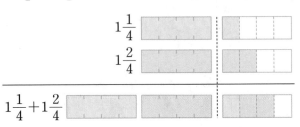

$$1\frac{1}{4}+1\frac{2}{4}=(1+1)+\left(\frac{1}{4}+\frac{2}{4}\right)$$

$$=2+\frac{3}{4}=2\frac{3}{4}$$

① 자연수 부분끼리 더하고 진분수 부분끼리 더합니다.
② 두 결과를 더합니다.

2. 진분수 부분끼리의 합이 가분수인 (대분수)+(대분수)

예 $1\frac{4}{5}+2\frac{3}{5}$의 계산

방법 **1** 자연수 부분과 진분수 부분으로 나누어 계산하기

$$1\frac{4}{5}+2\frac{3}{5}=(1+2)+\left(\frac{4}{5}+\frac{3}{5}\right)$$

$$=3+\frac{7}{5}=3+1\frac{2}{5}$$

$$=4\frac{2}{5}$$

 진분수 부분끼리의 합이 가분수이면 대분수로 바꾸어 나타내.

방법 **2** 대분수를 가분수로 바꾸어 계산하기

$$1\frac{4}{5}+2\frac{3}{5}=\frac{9}{5}+\frac{13}{5}=\frac{22}{5}=4\frac{2}{5}$$

개념 4 분모가 같은 대분수의 뺄셈 (1)

• 진분수 부분끼리 뺄 수 있는 (대분수)−(대분수)

예 $3\frac{3}{4}-2\frac{2}{4}$의 계산

방법 **1** 자연수 부분과 진분수 부분으로 나누어 계산하기

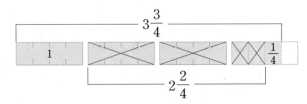

$$3\frac{3}{4}-2\frac{2}{4}=(3-2)+\left(\frac{3}{4}-\frac{2}{4}\right)$$

$$=1+\frac{1}{4}=1\frac{1}{4}$$

① 자연수 부분끼리 빼고 진분수 부분끼리 뺍니다.
② 두 결과를 더합니다.

대분수의 뺄셈을 계산할 때에는 자연수 부분끼리, 진분수 부분끼리 뺀 후 두 결과의 차를 구하지 않도록 조심해.
예 $3\frac{3}{4}-2\frac{2}{4}=(3-2)+\frac{3}{4}-\frac{2}{4}=1-\frac{1}{4}=\frac{3}{4}$

방법 **2** 대분수를 가분수로 바꾸어 계산하기

$$3\frac{3}{4}-2\frac{2}{4}=\frac{15}{4}-\frac{10}{4}=\frac{5}{4}=1\frac{1}{4}$$

대분수를 가분수로 바꾸어 분모는 그대로 두고 분자끼리 빼서 계산합니다.

개념 5 (자연수)−(분수)

1. (자연수)−(진분수)

(예) $2-\dfrac{2}{3}$의 계산

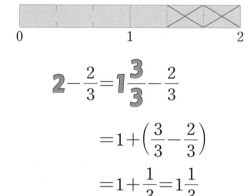

$$2-\dfrac{2}{3}=1\dfrac{3}{3}-\dfrac{2}{3}$$

$$=1+\left(\dfrac{3}{3}-\dfrac{2}{3}\right)$$

$$=1+\dfrac{1}{3}=1\dfrac{1}{3}$$

자연수에서 1만큼을 분수로 바꾸어 계산해.

2. (자연수)−(대분수)

(예) $4-1\dfrac{1}{4}$의 계산

(방법 1) 자연수에서 1만큼을 분수로 바꾸어 계산하기

$$4-1\dfrac{1}{4}=3\dfrac{4}{4}-1\dfrac{1}{4}$$

$$=(3-1)+\left(\dfrac{4}{4}-\dfrac{1}{4}\right)$$

$$=2+\dfrac{3}{4}=2\dfrac{3}{4}$$

(방법 2) 가분수로 바꾸어 계산하기

$$4-1\dfrac{1}{4}=\dfrac{16}{4}-\dfrac{5}{4}=\dfrac{11}{4}=2\dfrac{3}{4}$$

(참고) 자연수를 가분수로 바꾸는 방법

(예) $4=1+1+1+1$

$$=\dfrac{4}{4}+\dfrac{4}{4}+\dfrac{4}{4}+\dfrac{4}{4}=\dfrac{16}{4}$$

개념 6 분모가 같은 대분수의 뺄셈 (2)

• 진분수 부분끼리 뺄 수 없는 (대분수)−(대분수)

(예) $3\dfrac{1}{4}-1\dfrac{3}{4}$의 계산

(방법 1) 자연수 부분에서 1만큼을 분수로 바꾸어 계산하기

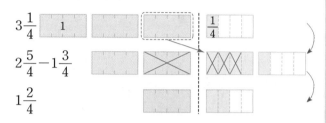

$$3\dfrac{1}{4}-1\dfrac{3}{4}=2\dfrac{5}{4}-1\dfrac{3}{4}$$

$$=(2-1)+\left(\dfrac{5}{4}-\dfrac{3}{4}\right)$$

$$=1+\dfrac{2}{4}=1\dfrac{2}{4}$$

자연수 부분에서 1만큼을 분수로 바꾼 후 자연수 부분끼리 빼고 분수 부분끼리 빼.

(방법 2) 가분수로 바꾸어 계산하기

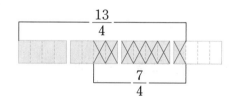

$$3\dfrac{1}{4}-1\dfrac{3}{4}=\dfrac{13}{4}-\dfrac{7}{4}=\dfrac{6}{4}=1\dfrac{2}{4}$$

대분수를 가분수로 바꾸어 분모는 그대로 두고 분자끼리 빼.

계산 결과가 가분수이면 대분수로 바꾸어 나타내.

1 분모가 같은 진분수의 덧셈

① 분모는 그대로 두고 분자끼리 더합니다.
② 계산 결과가 가분수이면 대분수로 바꿉니다.

예 $\dfrac{3}{7}+\dfrac{6}{7}=\dfrac{3+6}{7}=\dfrac{9}{7}=1\dfrac{2}{7}$

1 빈칸에 알맞은 수를 써넣으세요.

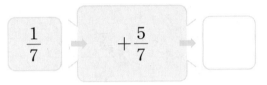

$\dfrac{1}{7}$ $+\dfrac{5}{7}$

2 $\dfrac{3}{5}+\dfrac{4}{5}$ 를 그림으로 나타내 얼마인지 알아보세요.

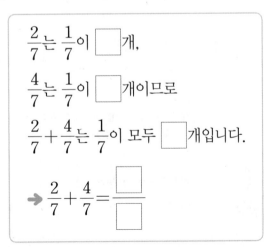

$\dfrac{3}{5}+\dfrac{4}{5}=\dfrac{\square+\square}{5}=\dfrac{\square}{5}=\square\dfrac{\square}{5}$

3 □ 안에 알맞은 수를 써넣으세요.

$\dfrac{2}{7}$ 는 $\dfrac{1}{7}$ 이 $\square$ 개,

$\dfrac{4}{7}$ 는 $\dfrac{1}{7}$ 이 $\square$ 개이므로

$\dfrac{2}{7}+\dfrac{4}{7}$ 는 $\dfrac{1}{7}$ 이 모두 $\square$ 개입니다.

➡ $\dfrac{2}{7}+\dfrac{4}{7}=\dfrac{\square}{\square}$

4 빈칸에 알맞은 수를 써넣으세요.

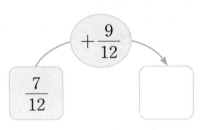

$+\dfrac{9}{12}$

$\dfrac{7}{12}$

5 잘못 계산한 사람을 찾아 이름을 쓰세요.

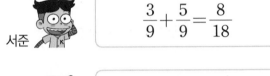

서준 $\dfrac{3}{9}+\dfrac{5}{9}=\dfrac{8}{18}$

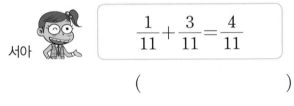

서아 $\dfrac{1}{11}+\dfrac{3}{11}=\dfrac{4}{11}$

(   )

추론력

6 □ 안에 알맞은 수를 써넣으세요.

$\dfrac{5}{8}+\dfrac{\square}{8}=\dfrac{7}{8}$

7 민규가 피아노를 어제는 $\dfrac{3}{6}$ 시간 동안 치고, 오늘은 $\dfrac{4}{6}$ 시간 동안 쳤습니다. 민규가 어제와 오늘 피아노를 친 시간은 몇 시간일까요?

식 _____
꼭 단위까지 따라 쓰세요.

답 _____ 시간

2 분모가 같은 진분수의 뺄셈, 1−(진분수)

• (진분수)−(진분수)

분모는 그대로 두고 분자끼리 뺍니다.

예 $\dfrac{3}{4} - \dfrac{1}{4} = \dfrac{3-1}{4} = \dfrac{2}{4}$

• 1−(진분수)

1을 가분수로 바꾸어 계산합니다.

예 $1 - \dfrac{3}{5} = \dfrac{5}{5} - \dfrac{3}{5} = \dfrac{5-3}{5} = \dfrac{2}{5}$

1은 $\dfrac{1}{5}$이 5개이므로 $\dfrac{5}{5}$로 바꾸어 나타냄.

8 ☐ 안에 알맞은 수를 써넣으세요.

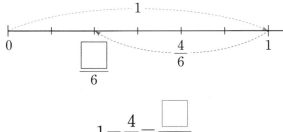

$1 - \dfrac{4}{6} = \dfrac{\boxed{}}{6}$

9 두 수의 차를 구하세요.

( )

10 빈칸에 알맞은 수를 써넣으세요.

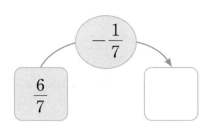

11 크기를 비교하여 ○ 안에 >, =, <를 알맞게 써넣으세요.

$$1 - \dfrac{6}{8} \bigcirc \dfrac{3}{8}$$

12 계산 결과가 <u>다른</u> 것을 찾아 ○표 하세요.

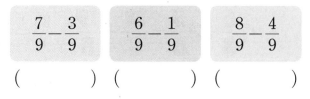

( ) ( ) ( )

13 주스 $\dfrac{3}{5}$ L 중에서 $\dfrac{1}{5}$ L를 컵에 따르려고 합니다. 남는 주스는 몇 L일까요?

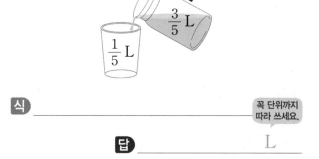

식 _____

꼭 단위까지 따라 쓰세요.

답 _____ L

🔧 **문제 해결**

14 수진이가 창문을 전체의 $\dfrac{1}{4}$만큼 닦았습니다. 창문을 모두 닦으려면 전체의 얼마만큼을 더 닦아야 할까요?

( )

3 분모가 같은 대분수의 덧셈

방법 1 자연수 부분과 진분수 부분으로 나누어 계산하기

$$1\frac{6}{8}+2\frac{3}{8}=(1+2)+\left(\frac{6}{8}+\frac{3}{8}\right)$$
$$=3+1\frac{1}{8}=4\frac{1}{8}$$

방법 2 대분수를 가분수로 바꾸어 계산하기

$$1\frac{6}{8}+2\frac{3}{8}=\frac{14}{8}+\frac{19}{8}=\frac{33}{8}=4\frac{1}{8}$$

15 그림을 보고 □ 안에 알맞은 수를 써넣으세요.

$$1\frac{2}{6}+1\frac{3}{6}=\boxed{}\frac{\boxed{}}{6}$$

16 대분수를 가분수로 바꾸어 계산해 보세요.

$$3\frac{2}{12}+\frac{11}{12}$$ _____

17 □ 안에 알맞은 수를 구하세요.

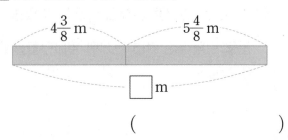

$4\frac{3}{8}$ m $5\frac{4}{8}$ m

$\boxed{}$ m

(　　　　　　)

18 $2\frac{5}{9}+3\frac{7}{9}$ 을 잘못 계산한 것입니다. 잘못된 곳을 찾아 바르게 계산해 보세요.

$$2\frac{5}{9}+3\frac{7}{9}=5+\frac{12}{18}=5\frac{12}{18}$$

19 어머니께서 당근 $1\frac{3}{10}$ kg, 오이 $1\frac{5}{10}$ kg을 사 오셨습니다. 어머니께서 사 오신 당근과 오이는 모두 몇 kg일까요?

식 _____
꼭 단위까지 따라 쓰세요.

답 _____ kg

20 소라네 집에서 도서관을 거쳐 학교까지의 거리는 몇 km일까요?

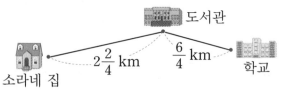

도서관

소라네 집 $2\frac{2}{4}$ km $\frac{6}{4}$ km   학교

식 _____

답 _____ km

4 분모가 같은 대분수의 뺄셈 (1)

↳ 진분수 부분끼리 뺄 수 있는 (대분수)−(대분수)

방법 1 자연수 부분과 진분수 부분으로 나누어 계산하기

$$4\frac{2}{4}-2\frac{1}{4}=(4-2)+\left(\frac{2}{4}-\frac{1}{4}\right)$$
$$=2+\frac{1}{4}=2\frac{1}{4}$$

방법 2 대분수를 가분수로 바꾸어 계산하기

$$4\frac{2}{4}-2\frac{1}{4}=\frac{18}{4}-\frac{9}{4}=\frac{9}{4}=2\frac{1}{4}$$

21 $1\frac{1}{3}$만큼 ×표 하고, $3\frac{2}{3}-1\frac{1}{3}$이 얼마인지 알아보세요.

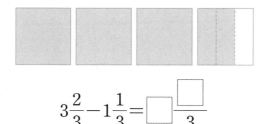

$$3\frac{2}{3}-1\frac{1}{3}=\boxed{}\frac{\boxed{}}{3}$$

22 다음이 나타내는 수를 구하세요.

$$5\frac{7}{8}보다\ 1\frac{4}{8}\ 작은\ 수$$

(   )

23 선을 따라 간 빈칸에 계산 결과를 써넣으세요.

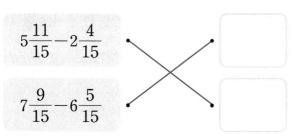

창의·융합

24 분수의 뺄셈을 배운 내용으로 수학 일기를 써 보세요.

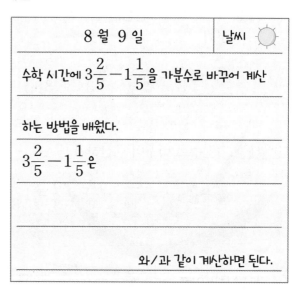

8 월 9 일	날씨 ☀
수학 시간에 $3\frac{2}{5}-1\frac{1}{5}$을 가분수로 바꾸어 계산	
하는 방법을 배웠다.	
$3\frac{2}{5}-1\frac{1}{5}$은	
	와/과 같이 계산하면 된다.

25 수박은 호박보다 $1\frac{3}{10}$ kg 더 가볍습니다. 수박의 무게는 몇 kg일까요?

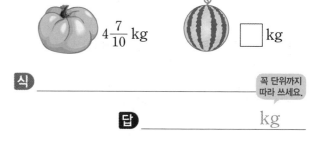

$4\frac{7}{10}$ kg $\boxed{}$ kg

식 _____ 꼭 단위까지 따라 쓰세요.

답 _____ kg

26 미술 시간에 철사를 경민이는 $2\frac{5}{8}$ m, 진우는 $1\frac{4}{8}$ m 사용하였습니다. 경민이는 진우보다 철사를 몇 m 더 많이 사용하였을까요?

식 _____

답 _____ m

분수의 덧셈과 뺄셈

5 (자연수)−(분수)

방법 1 자연수에서 1만큼을 분수로 바꾸어 계산하기

$$4-2\frac{1}{3}=3\frac{3}{3}-2\frac{1}{3}=1\frac{2}{3}$$

$$4=3+1=3+\frac{3}{3}$$

방법 2 가분수로 바꾸어 계산하기

$$4-2\frac{1}{3}=\frac{12}{3}-\frac{7}{3}=\frac{5}{3}=1\frac{2}{3}$$

27 은우가 말하는 방법으로 $3-2\frac{2}{5}$ 를 계산해 보세요.

3에서 1만큼을 분수로 바꾸어 계산해.

은우

$$3-2\frac{2}{5}$$ _____

28 □ 안에 알맞은 수를 써넣으세요.

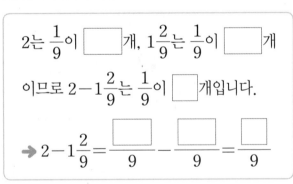

2는 $\frac{1}{9}$이 □ 개, $1\frac{2}{9}$는 $\frac{1}{9}$이 □ 개

이므로 $2-1\frac{2}{9}$는 $\frac{1}{9}$이 □ 개입니다.

→ $2-1\frac{2}{9}=\frac{□}{9}-\frac{□}{9}=\frac{□}{9}$

29 두 수의 차를 구하세요.

| 5 | $\frac{7}{8}$ |

(   )

30 □ 안에 알맞은 수를 구하세요.

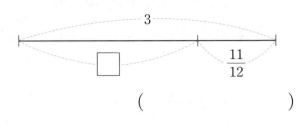

(   )

31 계산 결과가 더 작은 것을 찾아 기호를 쓰세요.

㉠ $6-3\frac{2}{6}$ ㉡ $4-\frac{3}{6}$

(   )

32 소나무의 높이는 은행나무의 높이보다 몇 m 더 높을까요?

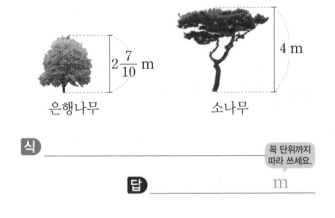

은행나무 $2\frac{7}{10}$ m   소나무 4 m

식 _____

꼭 단위까지 따라 쓰세요.

답 _____ m

33 어머니께서 쌀 5 kg 중에서 $\frac{3}{5}$ kg을 사용하여 밥을 지었습니다. 남은 쌀은 몇 kg일까요?

식 _____

답 _____ kg

6 분모가 같은 대분수의 뺄셈 (2)

└ 진분수 부분끼리 뺄 수 없는 (대분수)−(대분수)

방법 1 자연수 부분에서 1만큼을 분수로 바꾸어 계산하기

$$3\frac{1}{5}-1\frac{4}{5}=2\frac{6}{5}-1\frac{4}{5}=1\frac{2}{5}$$

방법 2 대분수를 가분수로 바꾸어 계산하기

$$3\frac{1}{5}-1\frac{4}{5}=\frac{16}{5}-\frac{9}{5}=\frac{7}{5}=1\frac{2}{5}$$

34 수직선을 보고 □ 안에 알맞은 수를 써넣으세요.

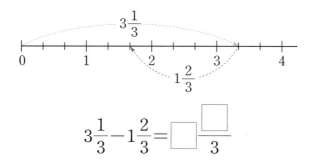

$$3\frac{1}{3}-1\frac{2}{3}=\boxed{}\frac{\boxed{}}{3}$$

35 빈칸에 알맞은 수를 써넣으세요.

$$5\frac{5}{8} \rightarrow \boxed{-2\frac{7}{8}} \rightarrow \boxed{}$$

36 두 색 테이프의 길이의 차는 몇 m일까요?

$4\frac{19}{20}$ m

$5\frac{13}{20}$ m

> 꼭 단위까지 따라 쓰세요.

(m   )

37 건우가 $6\frac{3}{7}-4\frac{5}{7}$ 를 잘못 계산한 것입니다. 잘못된 곳을 찾아 바르게 계산해 보세요.

건우

$$6\frac{3}{7}-4\frac{5}{7}=(6-4)+\left(\frac{3}{7}-\frac{5}{7}\right)$$
$$=2+\frac{2}{7}=2\frac{2}{7}$$

$6\frac{3}{7}-4\frac{5}{7}$ _____

_____

38 진주는 리본 $4\frac{1}{5}$ m 중에서 $1\frac{3}{5}$ m를 사용하였습니다. 사용한 리본의 길이만큼 빗금을 긋고, 남은 리본은 몇 m인지 구하세요.

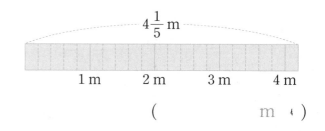

(m ‣)

39 진우는 소고기 $1\frac{6}{10}$ kg과 돼지고기 $2\frac{5}{10}$ kg을 샀습니다. 소고기와 돼지고기 중에서 어느 것을 몇 kg 더 많이 샀을까요?

식 _____

답 _____ , _____ kg

활용 1 두 분수의 합과 차 구하기

분모가 같은 두 진분수의 덧셈과 뺄셈은 분모는 그대로 두고 분자끼리 계산합니다.

1-1 두 분수의 합과 차를 각각 구하세요.

$$\frac{14}{20} \qquad \frac{3}{20}$$

합 (   )

차 (   )

1-2 두 분수의 합과 차를 각각 구하세요.

$$\frac{6}{11} \qquad \frac{10}{11}$$

합 (   )

차 (   )

1-3 두 분수의 합과 차를 각각 구하세요.

$$3\frac{2}{5} \qquad 1\frac{4}{5}$$

합	차

활용 2 계산 결과가 가장 큰(작은) 것 찾기

분수의 덧셈과 뺄셈을 각각 계산한 후 계산 결과를 비교하여 가장 큰(작은) 것을 찾습니다.

2-1 계산 결과가 가장 큰 것을 찾아 기호를 쓰세요.

$$\text{㉠}\ \frac{6}{7} - \frac{2}{7} \quad \text{㉡}\ 1 - \frac{5}{7} \quad \text{㉢}\ \frac{1}{7} + \frac{2}{7}$$

(   )

2-2 계산 결과가 가장 큰 것을 찾아 기호를 쓰세요.

$$\text{㉠}\ \frac{7}{9} + \frac{4}{9} \quad \text{㉡}\ 3 - \frac{8}{9} \quad \text{㉢}\ 2\frac{5}{9} - 1\frac{1}{9}$$

(   )

2-3 계산 결과가 가장 작은 것을 찾아 기호를 쓰세요.

$$\text{㉠}\ 1\frac{1}{3} + \frac{4}{3} \quad \text{㉡}\ 4\frac{1}{3} - 2\frac{2}{3} \quad \text{㉢}\ \frac{2}{3} + 2\frac{1}{3}$$

(   )

활용 3 □ 안에 들어갈 수 있는 수 구하기

❶ 대분수를 가분수로 나타냅니다.
❷ 분모가 같으므로 분자를 비교하여 □ 안에 들어갈 수 있는 수를 모두 구합니다.

3-1 1부터 9까지의 자연수 중에서 □ 안에 들어갈 수 있는 수를 모두 구하세요.

$$\frac{\square}{5}+\frac{3}{5}<1\frac{2}{5}$$

(   )

3-2 1부터 9까지의 자연수 중에서 □ 안에 들어갈 수 있는 수를 모두 구하세요.

$$\frac{4}{8}+\frac{\square}{8}<1\frac{2}{8}$$

(   )

3-3 1부터 9까지의 자연수 중에서 □ 안에 들어갈 수 있는 수를 모두 구하세요.

$$1\frac{4}{7}-\frac{\square}{7}>\frac{6}{7}$$

(   )

활용 4 어떤 분수 구하기

어떤 분수를 □라 하여 식을 만들고 덧셈과 뺄셈의 관계를 이용하여 어떤 분수를 구합니다.

4-1 어떤 분수에 $\frac{5}{6}$를 더했더니 $1\frac{3}{6}$이 되었습니다. 어떤 분수를 구하세요.

(   )

4-2 어떤 분수에 $4\frac{3}{10}$을 더했더니 $5\frac{2}{10}$가 되었습니다. 어떤 분수를 구하세요.

(   )

4-3 어떤 대분수에서 $2\frac{4}{7}$를 뺐더니 $2\frac{6}{7}$이 되었습니다. 어떤 대분수를 구하세요.

(   )

1 가장 큰 수와 가장 작은 수의 합을 구하세요.

$$\frac{8}{12} \qquad \frac{7}{12} \qquad \frac{5}{12}$$

(   )

2 빈칸에 알맞은 수를 써넣으세요.

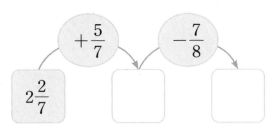

$2\frac{2}{7}$ $+\frac{5}{7}$ $-\frac{7}{8}$

왼쪽에서부터 차례대로 계산해요.

3 준영이와 희진이는 케이크를 각각 전체의 $\frac{3}{10}$ 만큼씩 먹었습니다. 두 사람이 먹은 케이크의 양은 전체의 몇 분의 몇일까요?

(   )

4 들이가 1 L인 병에 간장이 $\frac{2}{5}$ L 들어 있습니다. 이 병에 간장을 가득 채우려면 몇 L를 더 부어야 할까요?

식 _____

답 _____

추론력

5 대분수로만 만들어진 덧셈식이 쓰여 있는 종이에 얼룩이 묻었습니다. 얼룩이 묻은 부분에 알맞은 분수를 써넣으세요.

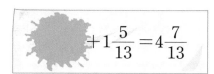

솔루션

덧셈과 뺄셈의 관계를 이용해서 구해 봐요.

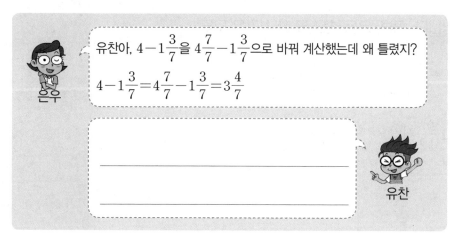 서술형

6 은우의 문자를 보고 답장을 써 보세요.

유찬아, $4-1\frac{3}{7}$을 $4\frac{7}{7}-1\frac{3}{7}$으로 바꿔 계산했는데 왜 틀렸지?

$4-1\frac{3}{7}=4\frac{7}{7}-1\frac{3}{7}=3\frac{4}{7}$

은우

유찬

분수의 덧셈과 뺄셈

17

7 다현이의 몸무게는 34 kg입니다. 윤아는 다현이보다 $2\frac{1}{4}$ kg 더 가볍고, 지원이는 윤아보다 $\frac{5}{4}$ kg 더 무겁습니다. 지원이의 몸무게는 몇 kg인지 구하세요.

 다현

34 kg

~보다 ~ 더 가벼운 몸무게
➡ 뺄셈식을 이용해요.
~보다 ~ 더 무거운 몸무게
➡ 덧셈식을 이용해요.

⑴ 윤아의 몸무게는 몇 kg일까요?

(   )

⑵ 지원이의 몸무게는 몇 kg일까요?

(   )

8 덧셈식의 계산 결과는 진분수입니다. □ 안에 들어갈 수 있는 자연수를 모두 구하세요.

$$\frac{7}{13} + \frac{\boxed{}}{13}$$

(   )

9 찬혁이가 지난 토요일에 한 일입니다. 공부, 운동, 청소를 한 시간은 모두 몇 시간일까요?

공부	운동	청소
$2\frac{7}{12}$시간	$1\frac{9}{12}$시간	$1\frac{1}{12}$시간

(   )

문제 해결

10 분수 카드 중 2장을 골라 한 번씩만 사용하여 합이 가장 작은 덧셈식을 만들고, 계산해 보세요.

$1\frac{7}{13}$ $\frac{30}{13}$ $2\frac{1}{13}$ →   □ + □

(   )

11 페인트 $1\frac{4}{8}$ L가 있었습니다. 벽을 칠한 후 페인트 $\frac{5}{8}$ L가 남았다면 벽을 칠하는 데 사용한 페인트는 몇 L일까요?

(   )

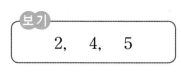 추론력

12 보기에서 두 수를 골라 한 번씩만 사용하여 계산 결과가 가장 큰 뺄셈식을 만들고, 계산해 보세요.

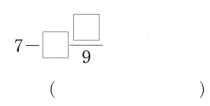

보기

$$2, \quad 4, \quad 5$$

$$7 - \boxed{} \dfrac{\boxed{}}{9}$$

(   )

 솔루션

계산 결과가 가장 크게 되려면 빼는 수가 가장 작아야 해요.

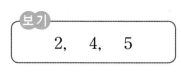 추론력

13 딸기 $5\dfrac{4}{10}$ kg이 있습니다. 딸기잼 한 병을 만드는 데 딸기 $2\dfrac{3}{10}$ kg이 필요합니다. 딸기잼은 몇 병까지 만들 수 있고, 남는 딸기는 몇 kg일까요?

만들 수 있는 딸기잼: (   )

남는 딸기: (   )

14 길이가 $10\dfrac{3}{16}$ cm인 색 테이프 2장을 $1\dfrac{15}{16}$ cm만큼 겹치게 이어 붙였습니다. 이어 붙인 색 테이프의 전체 길이는 몇 cm인지 구하세요.

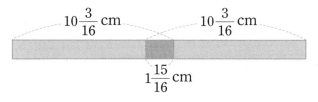

$10\dfrac{3}{16}$ cm $10\dfrac{3}{16}$ cm

$1\dfrac{15}{16}$ cm

(이어 붙인 전체 길이)
=(색 테이프의 길이의 합)
－(겹쳐진 부분의 길이)

(1) 색 테이프 2장의 길이의 합은 몇 cm일까요?

(   )

(2) 이어 붙인 색 테이프의 전체 길이는 몇 cm일까요?

(   )

1

분수의 덧셈과 뺄셈

심화 **1**

합과 차가 주어진 두 진분수 구하기

분모가 8인 진분수가 2개 있습니다. 합이 $\frac{7}{8}$, 차가 $\frac{3}{8}$인 두 진분수를 구하세요.

해결 **순서** **1** 합이 7, 차가 3인 두 수를 구하세요.

(,   )

해결 **순서** **2** 분모가 8인 두 진분수를 구하세요.

(,   )

1-1   분모가 13인 진분수가 2개 있습니다. 합이 $\frac{12}{13}$, 차가 $\frac{4}{13}$인 두 진분수를 구하세요.

(,   )

1-2   분모가 5인 진분수가 2개 있습니다. 합이 $1\frac{1}{5}$, 차가 $\frac{2}{5}$인 두 진분수를 구하세요.

(,   )

심화 2

계산 결과가 더 가까운 식 찾기

계산 결과가 3에 더 가까운 식을 찾아 기호를 쓰세요.

$$㉠ \ 4-\frac{1}{6} \qquad ㉡ \ 5-2\frac{2}{6}$$

해결 순서 1 ㉠과 ㉡의 계산 결과를 각각 구하세요.

㉠ (   ), ㉡ (   )

해결 순서 2 수직선에 ㉠과 ㉡의 계산 결과를 나타내어 보세요.

해결 순서 3 계산 결과가 3에 더 가까운 식을 찾아 기호를 쓰세요.

(   )

2-1 계산 결과가 5에 더 가까운 식을 찾아 기호를 쓰세요.

$$㉠ \ 7-1\frac{3}{4} \qquad ㉡ \ 5-\frac{2}{4}$$

(   )

2-2 계산 결과가 4에 가장 가까운 식을 찾아 기호를 쓰세요.

$$㉠ \ 5-\frac{1}{5} \qquad ㉡ \ 6-2\frac{2}{5} \qquad ㉢ \ 10-6\frac{1}{5}$$

(   )

1

분수의 덧셈과 뺄셈

21

심화 3

거리 구하기

그림을 보고 학교에서 은행까지의 거리는 몇 km인지 구하세요.

$10\frac{13}{20}$ km

집   학교   은행   도서관

$6\frac{17}{20}$ km $5\frac{9}{20}$ km

해결 순서 1 집에서 학교까지의 거리는 몇 km일까요?

(   )

해결 순서 2 학교에서 은행까지의 거리는 몇 km일까요?

(   )

3-1 그림을 보고 학원에서 문구점까지의 거리는 몇 km인지 구하세요.

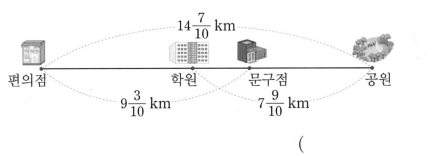

$14\frac{7}{10}$ km

편의점   학원   문구점   공원

$9\frac{3}{10}$ km $7\frac{9}{10}$ km

(   )

3-2 그림을 보고 ㉮에서 ㉰까지의 거리는 몇 km인지 구하세요.

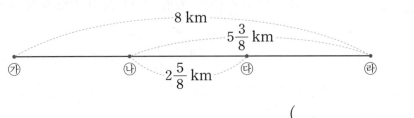

8 km

$5\frac{3}{8}$ km

㉮   ㉯   ㉰   ㉱

$2\frac{5}{8}$ km

(   )

심화 4
전체를 1로 볼 때 남은 양 구하기

지우는 어떤 동화책을 한 시간 동안 전체의 $\frac{2}{17}$ 만큼 읽습니다. 지우가 같은 빠르기로 이 동화책을 3시간 동안 읽었다면, 읽고 남은 동화책의 양은 전체의 몇 분의 몇인지 구하세요.

해결 **순서 1** 3시간 동안 읽은 동화책의 양은 전체의 몇 분의 몇일까요?

( )

해결 **순서 2** 지우가 읽고 남은 동화책의 양은 전체의 몇 분의 몇일까요?

( )

---

4 - 1 재승이는 어떤 일을 하루에 전체의 $\frac{3}{16}$ 만큼 합니다. 재승이가 같은 빠르기로 이 일을 4일 동안 했다면, 남은 일은 전체의 몇 분의 몇일까요?

( )

---

4 - 2 밭에서 무를 뽑는 데 하루에 아버지께서는 밭 전체의 $\frac{2}{20}$ 만큼 뽑고 어머니께서는 밭 전체의 $\frac{1}{20}$ 만큼 뽑습니다. 이와 같은 빠르기로 아버지와 어머니가 함께 무를 5일 동안 뽑는다면 무를 뽑지 않고 남은 밭은 전체의 몇 분의 몇일까요?

( )

무를 뽑지 않고 남은 밭의 양은
전체 1에서 무를 뽑은 밭의 양을 빼서 구해.

1

분수의 덧셈과 뺄셈

23

심화 5

조건에 맞는 대분수를 만들어 합과 차 구하기

5장의 수 카드 중 2장을 골라 한 번씩만 사용하여 다음과 같이 분모가 7인 대분수를 만들려고 합니다. 만들 수 있는 가장 큰 대분수와 가장 작은 대분수의 차를 구하세요.

$$8 \quad 6 \quad 2 \quad 3 \quad 5 \rightarrow \boxed{\square\,\dfrac{\square}{7}}$$

해결 순서 1 분모가 7인 가장 큰 대분수를 만들어 보세요.

( )

해결 순서 2 분모가 7인 가장 작은 대분수를 만들어 보세요.

( )

해결 순서 3 위 해결 순서 1과 2에서 만든 대분수의 차를 구하세요.

( )

5-1 5장의 수 카드 중 2장을 골라 한 번씩만 사용하여 다음과 같이 분모가 11인 대분수를 만들려고 합니다. 만들 수 있는 가장 큰 대분수와 가장 작은 대분수의 합을 구하세요.

$$1 \quad 7 \quad 6 \quad 4 \quad 9 \rightarrow \boxed{\square\,\dfrac{\square}{11}}$$

( )

5-2 서아와 건우가 만든 수의 차를 구하세요.

서아: 내가 만든 수는 자연수 부분이 4이고 분모가 9인 대분수 중 가장 작은 수야.

나는 자연수 부분이 2이고 분모가 9인 대분수 중 가장 큰 수를 만들었어.

건우

( )

심화 6

고장난 시계가 가리키는 시각 구하기

하루에 $\frac{2}{3}$분씩 늦어지는 시계가 있습니다. 이 시계를 오후 3시에 정확하게 맞추어 놓았습니다. 4일 후 오후 3시에 이 시계는 오후 몇 시 몇 분 몇 초를 가리키는지 구하세요.

해결 순서 1 이 시계가 4일 동안 늦어지는 시간은 몇 분일까요?

( )

해결 순서 2 위 해결 순서 1에서 구한 시간은 몇 분 몇 초일까요?

( )

해결 순서 3 4일 후 오후 3시에 이 시계는 오후 몇 시 몇 분 몇 초를 가리킬까요?

( )

6-1 하루에 $2\frac{1}{6}$분씩 늦어지는 시계가 있습니다. 이 시계를 오후 4시에 정확하게 맞추어 놓았습니다. 3일 후 오후 4시에 이 시계는 오후 몇 시 몇 분 몇 초를 가리킬까요?

( )

6-2 하루에 $1\frac{1}{60}$분씩 빨라지는 시계가 있습니다. 이 시계를 낮 12시에 정확하게 맞추어 놓았습니다. 5일 후 낮 12시에 이 시계는 오후 몇 시 몇 분 몇 초를 가리킬까요?

( )

1 계산해 보세요.

$$\frac{6}{11} + \frac{3}{11}$$

( )

2 빈칸에 두 수의 차를 써넣으세요.

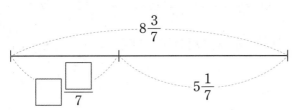

$\frac{7}{13}$	$\frac{12}{13}$

3 □ 안에 알맞은 수를 써넣으세요.

$$8\frac{3}{7}$$

$$\frac{\square}{7} \quad 5\frac{1}{7}$$

4 두 사람이 말한 수의 합을 분수로 쓰세요.

$\frac{1}{8}$이 7개인 수

$\frac{1}{8}$이 2개인 수

( )

5 다음이 나타내는 수를 구하세요.

$$2\frac{4}{5} 보다 3\frac{3}{5} 큰 수$$

( )

6 크기를 비교하여 ○ 안에 >, =, <를 알맞게 써넣으세요.

$$1\frac{5}{9} + \frac{15}{9} \bigcirc 3\frac{7}{9}$$

7 $5 - 2\frac{4}{6}$를 <u>잘못</u> 계산한 것입니다. 잘못된 곳을 찾아 바르게 계산해 보세요.

$$5 - 2\frac{4}{6} = 5\frac{6}{6} - 2\frac{4}{6} = 3\frac{2}{6}$$

$5 - 2\frac{4}{6}$ _____

✏️ 서술형

8 다음을 두 가지 방법으로 계산해 보세요.

$$7\frac{1}{3}-2\frac{2}{3}$$

방법 1 _____

_____

방법 2 _____

_____

9 가장 큰 수와 가장 작은 수의 차를 구하세요.

$\frac{8}{14}$	$1\frac{3}{14}$	$\frac{15}{14}$

(   )

10 쌀 $10\frac{1}{2}$ kg을 무게가 $3\frac{1}{2}$ kg인 빈 항아리에 담았습니다. 쌀이 담긴 항아리의 무게는 몇 kg 일까요?

식 _____

답 _____

11 빈칸에 알맞은 분수를 써넣으세요.

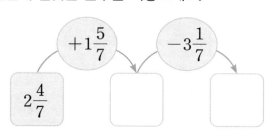

12 은유네 집에서 꽃집까지의 거리는 $\frac{8}{10}$ km이고, 미용실까지의 거리는 1 km입니다. 꽃집과 미용실 중 어느 곳이 은유네 집에서 몇 km 더 멀까요?

식 _____

답 [   ]이 [   ] km 더 멉니다.

13 직사각형의 가로는 $6\frac{1}{4}$ cm이고, 세로는 가로 보다 $1\frac{2}{4}$ cm 더 짧습니다. 직사각형의 세로는 몇 cm일까요?

(   )

분수의 덧셈과 뺄셈

27

14 □ 안에 알맞은 대분수를 구하세요.

$$\Box - \frac{5}{6} = 3\frac{2}{6}$$

( )

15 계산 결과가 큰 것부터 차례대로 기호를 쓰세요.

㉠ $1\frac{1}{2} + 2\frac{1}{2}$ ㉡ $7 - 2\frac{1}{2}$ ㉢ $4\frac{1}{2} - 1\frac{1}{2}$

( )

16 분모가 7인 진분수 중에서 $\frac{3}{7}$보다 큰 분수를 모두 더하면 얼마일까요?

( )

17 승호는 길이가 9 m인 리본 중에서 $5\frac{1}{4}$ m를 사용하였고, 현주는 길이가 11 m인 리본 중에서 $6\frac{2}{4}$ m를 사용하였습니다. 사용하고 남은 리본이 더 긴 사람은 누구일까요?

( )

18 □ 안에 들어갈 수 있는 수를 모두 구하세요.

$$1 < \frac{5}{6} + \frac{\Box}{6} < 2$$

( )

🖋 서술형

19 빵 한 봉지를 만드는 데 밀가루 $1\frac{1}{4}$ kg이 필요합니다. 밀가루 $3\frac{1}{4}$ kg으로 빵은 몇 봉지까지 만들 수 있고, 남는 밀가루는 몇 kg인지 풀이 과정을 쓰고 답을 구하세요.

풀이 _____

_____

_____

_____

답 _____ , _____

20 분모가 9인 두 진분수의 합은 $\frac{5}{9}$, 차는 $\frac{1}{9}$입니다. 두 진분수를 구하세요.

(,)

21 대분수로만 만들어진 뺄셈식입니다. ㉠+㉡이 가장 클 때의 값을 구하세요.

$$3\frac{㉠}{5} - 2\frac{㉡}{5} = 1\frac{1}{5}$$

( )

22 ㉠에서 ㉢까지의 거리는 몇 m인지 풀이 과정을 쓰고 답을 구하세요.

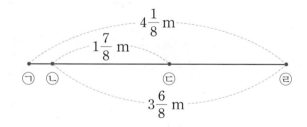

풀이

답

23 4장의 카드의 수를 한 번씩만 사용하여 계산 결과가 가장 큰 뺄셈식을 만들고, 계산해 보세요.

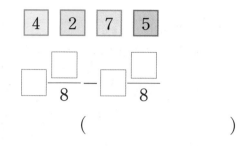

( )

24 어떤 수에서 $2\frac{7}{15}$을 빼야 할 것을 잘못하여 더했더니 $6\frac{6}{15}$이 되었습니다. 바르게 계산한 값을 구하세요.

( )

25 양팔저울의 왼쪽 접시에 $1\frac{5}{8}$ kg짜리 추 2개를 올려놓고, 오른쪽 접시에 $\frac{15}{8}$ kg짜리 추 1개와 국어사전을 올려놓았더니 양팔저울이 수평이 되었습니다. 국어사전의 무게는 몇 kg일까요?

( )

1

분수의 덧셈과 뺄셈

29

2 삼각형

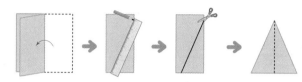
개념 1 변의 길이에 따라 삼각형 분류하기

(예)

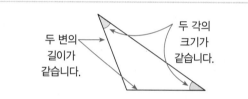

(1) 변의 길이가 같은 삼각형

두 변의 길이만 같은 삼각형	세 변의 길이가 같은 삼각형
가, 바, 아	나, 마, 사

(2) 변의 길이가 모두 다른 삼각형
 : 다, 라, 자

- **이등변삼각형**: 두 변의 길이가 같은
 삼각형
- **정삼각형**: 세 변의 길이가 같은 삼각형

이등변삼각형을 모두 찾으면
가, 나, 마, 바, 사, 아야.

정삼각형을 모두 찾으면 나, 마, 사야.

참고 • 정삼각형은 이등변삼각형이라고 할 수 있습니다.
 • 이등변삼각형은 정삼각형이라고 할 수 없습니다.

개념 2 이등변삼각형의 성질 알아보기

1. 이등변삼각형의 성질

(1) 두 변의 길이가 같습니다.
(2) 길이가 같은 두 변에 있는 **두 각의 크기가
 같습니다.**

겹쳐서 잘랐기 때문에 가위로 자른
두 변의 길이가 같고, 길이가 같은 두 변에
있는 두 각의 크기가 같아.

두 변의
길이가
같습니다.

두 각의
크기가
같습니다.

(예)
3 cm   3 cm
50°   50°

- 두 변의 길이가 3 cm로 같습니다.
- 두 각의 크기가 50°로 같습니다.

2. 이등변삼각형 그리기 → 자 또는 각도기 이용

(예) 주어진 선분에 두 각이 40°인 이등변삼각형
 그리기

①

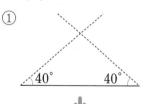

40°   40°

주어진 선분의 양 끝
에 크기가 40°인 각
그리기

②

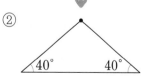

40°   40°

두 각의 변이 만나는
점을 찾아 삼각형 완
성하기

길이가 같은 두 변을 그려서 이등변삼각형
을 그리는 방법도 있어.

개념 3 정삼각형의 성질 알아보기

1. 정삼각형의 성질

(1) 세 변의 길이가 같습니다.

(2) **세 각의 크기가 60°로 같습니다.**

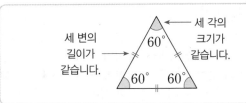

세 변의 길이가 같습니다.

세 각의 크기가 같습니다.

예

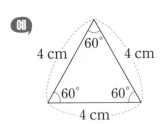

4 cm, 4 cm, 4 cm / 60°, 60°, 60°

- 세 변의 길이가 4 cm로 같습니다.
- 세 각의 크기가 60°로 같습니다.

2. 정삼각형 그리기 → 자 또는 각도기 이용

예 주어진 선분으로 정삼각형 그리기

①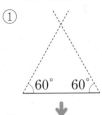

주어진 선분의 양 끝에 크기가 60°인 각 그리기

②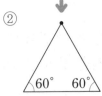

두 각의 변이 만나는 점을 찾아 삼각형 완성하기

길이가 같은 세 변을 그려서 정삼각형을 그리는 방법도 있어.

개념 4 각의 크기에 따라 삼각형 분류하기

1. 삼각형을 각의 크기에 따라 분류하기

예
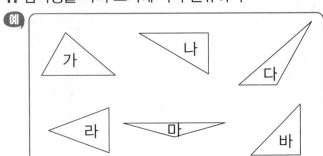
가, 나, 다, 라, 마, 바

예각삼각형 →	세 각이 모두 예각인 삼각형	가, 라
	직각삼각형	나, 바
둔각삼각형 →	둔각이 있는 삼각형	다, 마

(1) **예각삼각형**: 세 각이 모두 예각인 삼각형

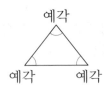
예각 / 예각 / 예각

(2) **둔각삼각형**: 한 각이 둔각인 삼각형

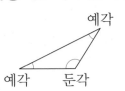
예각 / 예각 / 둔각

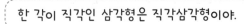
한 각이 직각인 삼각형은 직각삼각형이야.

참고
- 예각: 각도가 0°보다 크고 90°보다 작은 각
- 직각: 90°
- 둔각: 각도가 90°보다 크고 180°보다 작은 각

눈으로 확인하기 어려운 각은 직각과 비교해 봐.

주의 ▶ 예각삼각형, 직각삼각형, 둔각삼각형 구별하기

예각
예각삼각형

예각
직각
직각삼각형

둔각
예각
둔각삼각형

	예각삼각형	직각삼각형	둔각삼각형
예각의 수	3개	2개	2개
직각의 수	·	1개	·
둔각의 수	·	·	1개

예각이 있다고 해서 모두 예각삼각형은 아니야.

직각삼각형은 직각이 1개, 둔각삼각형은 둔각이 1개구나.

2. 예각삼각형, 직각삼각형, 둔각삼각형 그리기

(1) 예각삼각형: 세 각을 직각보다 작게 그립니다.

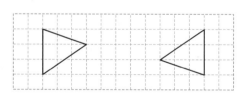

(2) 직각삼각형: 한 각을 직각으로 그립니다.

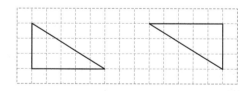

(3) 둔각삼각형: 한 각을 직각보다 크게 그립니다.

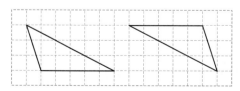

개념 5 삼각형을 두 가지 기준으로 분류하기

예

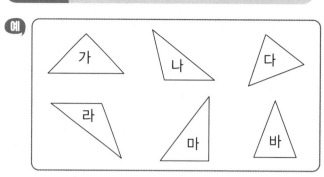

1. 변의 길이에 따라 분류하기

이등변삼각형	가, 나, 바
세 변의 길이가 모두 다른 삼각형	다, 라, 마

2. 각의 크기에 따라 분류하기

예각삼각형	직각삼각형	둔각삼각형
다, 바	가, 마	나, 라

3. 변의 길이와 각의 크기에 따라 분류하기

	예각 삼각형	직각 삼각형	둔각 삼각형
이등변삼각형	바	가	나
세 변의 길이가 모두 다른 삼각형	다	마	라

4. 알게 된 점

이등변삼각형에는 예각삼각형, 직각삼각형, 둔각삼각형이 있어.

세 변의 길이가 모두 다른 삼각형에는 예각삼각형, 직각삼각형, 둔각삼각형이 있어.

1 변의 길이에 따라 삼각형 분류하기

- **이등변삼각형**: 두 변의 길이가 같은 삼각형
- **정삼각형**: 세 변의 길이가 같은 삼각형

예

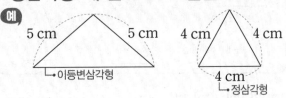

[1~2] 자를 이용하여 삼각형을 분류해 보세요.

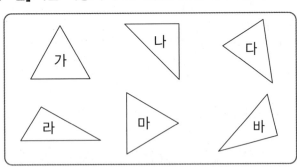

1 이등변삼각형을 모두 찾아 기호를 쓰세요.

(   )

2 정삼각형을 모두 찾아 기호를 쓰세요.

(   )

3 □ 안에 알맞은 수를 써넣으세요.

(1) 이등변삼각형   (2) 정삼각형

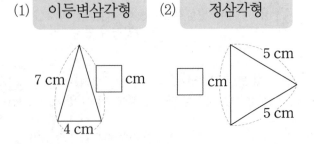

2 이등변삼각형의 성질 알아보기

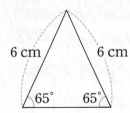

- 두 변의 길이가 같습니다.
- 길이가 같은 두 변에 있는 **두 각의 크기가 같습니다.**

4 주어진 선분을 한 변으로 하는 이등변삼각형을 완성하세요.

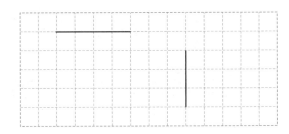

5 □ 안에 알맞은 수를 써넣으세요.

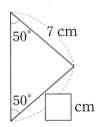

6 선분 ㄱㄴ을 이용하여 보기와 같은 이등변삼각형을 그려 보세요.

ㄱ———ㄴ

7 자 또는 각도기를 이용하여 이등변삼각형을 그려 보세요.

(1) 자를 이용하여 그리기

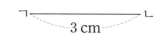

(2) 각도기를 이용하여 그리기

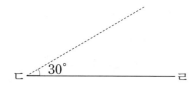

8 다음 도형은 이등변삼각형입니다. 각 ㄱㄴㄷ의 크기를 구하세요.

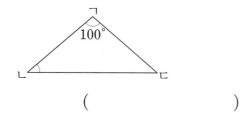

(   )

🖊 서술형 ⚡ 추론력

9 다음 도형이 이등변삼각형이 아닌 까닭을 쓰세요.

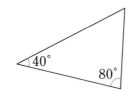

까닭 _____

_____

---

3 정삼각형의 성질 알아보기

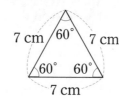

• 세 변의 길이가 같습니다.
• 세 각의 크기가 모두 **60°**로 같습니다.

10 주어진 선분을 한 변으로 하는 정삼각형을 완성하고, 알맞은 말에 ○표 하세요.

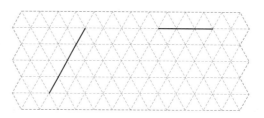

정삼각형은 세 각의 크기가
(같습니다 , 다릅니다).

11 다음 도형은 정삼각형입니다. □ 안에 알맞은 수를 써넣으세요.

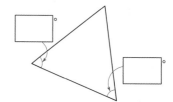

12 선분 ㄱㄴ을 한 변으로 하는 정삼각형을 그려 보세요.

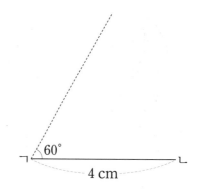

2

삼각형

35

13 다음을 이용하여 정삼각형을 그려 보세요.

(1) 컴퍼스와 자   (2) 각도기와 자

---

14 정삼각형에 대한 설명입니다. 잘못된 것을 찾아 기호를 쓰세요.

> ㉠ 세 변의 길이가 모두 같습니다.
> ㉡ 한 각이 직각인 삼각형입니다.
> ㉢ 세 각의 크기가 모두 60°입니다.
> ㉣ 이등변삼각형이라고 할 수 있습니다.

(   )

창의·융합

15 보기와 같이 정삼각형을 이용하여 모양을 만들어 보세요.

보기

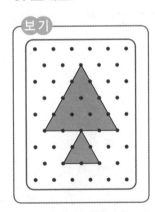
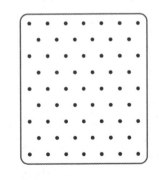

- **예각삼각형**: 세 각이 모두 예각인 삼각형
- **둔각삼각형**: 한 각이 둔각인 삼각형

예

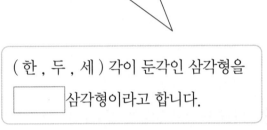

16 삼각형을 보고 알맞은 말에 ○표 하고, □ 안에 알맞은 말을 써넣으세요.

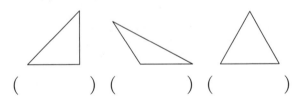

> (한 , 두 , 세) 각이 둔각인 삼각형을
> □ 삼각형이라고 합니다.

17 예각삼각형을 찾아 ○표 하세요.

(   ) (   ) (   )

18 삼각형을 예각삼각형, 직각삼각형, 둔각삼각형으로 분류하여 기호를 쓰세요.

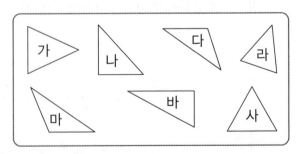

예각삼각형	직각삼각형	둔각삼각형

19 삼각형을 그려 보세요.

(1) 예각삼각형

(2) 둔각삼각형

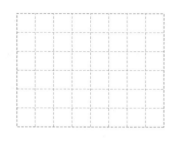

20 삼각형의 세 각의 크기를 재어 나타낸 것입니다. 이 삼각형은 예각삼각형, 직각삼각형, 둔각삼각형 중 어떤 삼각형일까요?

40°, 95°, 45°

( )

서술형

21 다음 도형은 예각삼각형이 아닙니다. 그 까닭을 쓰세요.

까닭 _____

---

5 삼각형을 두 가지 기준으로 분류하기

• 변의 길이와 각의 크기에 따라 분류하기

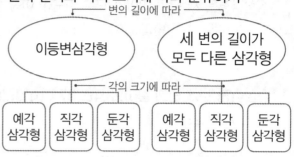

22 □ 안에 알맞은 삼각형의 이름을 써넣으세요.

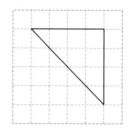

(1) 이 삼각형은 두 변의 길이가 같기 때문에
　　　　　　　　　　　입니다.

(2) 이 삼각형은 직각이 있기 때문에
　　　　　　　　　　　입니다.

23 삼각형을 분류하여 기호를 쓰세요.

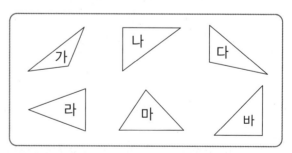

	예각 삼각형	직각 삼각형	둔각 삼각형
이등변삼각형			
세 변의 길이가 모두 다른 삼각형			

2

삼각형

37

<table>
<tr><td>활용
1</td><td>**정삼각형의 한 변의 길이 구하기**</td></tr>
</table>

정삼각형은 세 변의 길이가 모두 같음을 이용하여 정삼각형의 한 변의 길이를 구합니다.

1-1 정삼각형의 세 변의 길이의 합은 27 cm입니다. □ 안에 알맞은 수를 써넣으세요.

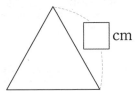

1-2 정삼각형의 세 변의 길이의 합은 18 cm입니다. □ 안에 알맞은 수를 써넣으세요.

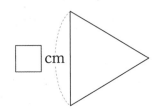

1-3 세 변의 길이의 합이 42 cm인 정삼각형이 있습니다. 이 정삼각형의 한 변의 길이는 몇 cm일까요?

(   )

<table>
<tr><td>활용
2</td><td>**이등변삼각형에서 각도 구하기**</td></tr>
</table>

이등변삼각형은 두 각의 크기가 같음을 이용하여 모르는 각의 크기를 구합니다.

2-1 다음 도형은 이등변삼각형입니다. □ 안에 알맞은 수를 써넣으세요.

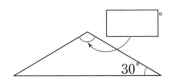

2-2 다음 도형은 이등변삼각형입니다. □ 안에 알맞은 수를 써넣으세요.

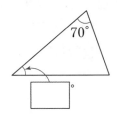

2-3 다음 도형은 이등변삼각형입니다. ㉠과 ㉡의 각도의 차를 구하세요.

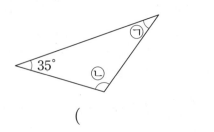

(   )

주어진 각을 보고 나머지 한 각의 크기를 구하여 예각삼각형 또는 둔각삼각형을 찾습니다.

3-1 두 각의 크기가 다음과 같은 삼각형이 있습니다. 예각삼각형을 찾아 기호를 쓰세요.

> ㉠ 45°, 30°   ㉡ 50°, 65°

( )

3-2 두 각의 크기가 다음과 같은 삼각형이 있습니다. 예각삼각형을 찾아 기호를 쓰세요.

> ㉠ 20°, 75°   ㉡ 35°, 45°

( )

3-3 두 각의 크기가 다음과 같은 삼각형이 있습니다. 둔각삼각형을 찾아 기호를 쓰세요.

> ㉠ 60°, 25°   ㉡ 55°, 50°

( )

정삼각형과 이등변삼각형의 성질을 이용하여 사각형의 각 변의 길이를 알아본 후 둘레를 구합니다.

4-1 정삼각형과 이등변삼각형을 그림과 같이 이어 붙여 사각형 ㄱㄴㄷㄹ을 만들었습니다. 사각형 ㄱㄴㄷㄹ의 네 변의 길이의 합은 몇 cm일까요?

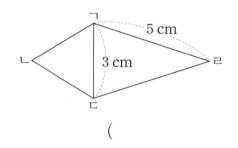

( )

4-2 이등변삼각형과 정삼각형을 그림과 같이 이어 붙여 사각형 ㄱㄴㄷㄹ을 만들었습니다. 사각형 ㄱㄴㄷㄹ의 네 변의 길이의 합은 몇 cm일까요?

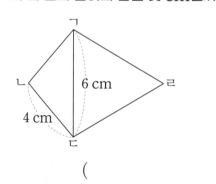

( )

4-3 이등변삼각형과 정삼각형을 그림과 같이 이어 붙여 사각형 ㄱㄴㄷㄹ을 만들었습니다. 사각형 ㄱㄴㄷㄹ의 네 변의 길이의 합은 몇 cm일까요?

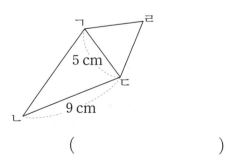

( )

1 □ 안에 알맞은 수를 써넣으세요.

(1) 이등변삼각형

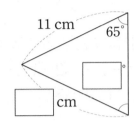

(2) 정삼각형

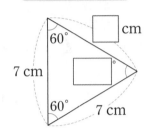

2 □ 안에 예각삼각형은 '예', 직각삼각형은 '직', 둔각삼각형은 '둔'을 써넣으세요.

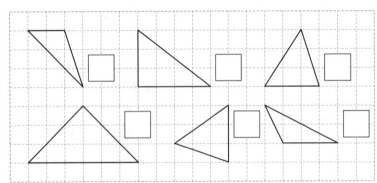

3 오른쪽 그림에서 예각삼각형과 둔각삼각형은 각각 몇 개일까요?

예각삼각형 (   )

둔각삼각형 (   )

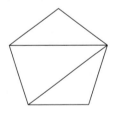

4 삼각형 ㄱㄴㄷ을 둔각삼각형으로 만들려면 꼭짓점 ㄱ을 어디로 옮겨야 할까요? ·· (   )

옮겼을 때 삼각형의 세 각 중 한 각이 둔각이 되는 곳을 찾아봐요.

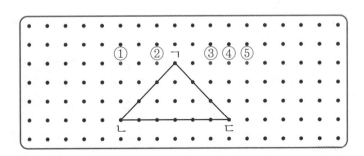

5 점 종이에 예각삼각형, 직각삼각형, 둔각삼각형을 각각 1개씩 그려 보세요.

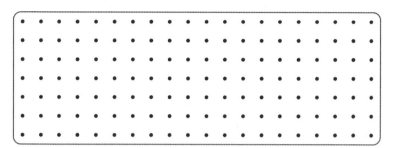

6 오른쪽 도형은 정삼각형 2개를 겹치지 않게 붙여 만든 모양입니다. ㉠의 크기는 몇 도일까요?

(   )

7 오른쪽 삼각형의 세 변의 길이의 합은 16 cm입니다. ☐ 안에 알맞은 수를 구하세요.

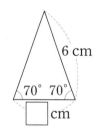

(   )

8 오른쪽 삼각형 ㄱㄴㄷ은 정삼각형입니다. 각 ㄱㄷㄹ의 크기는 몇 도일까요?

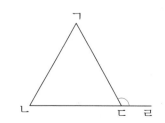

(   )

S 솔루션

어떤 삼각형인지 먼저 알아 봐요.

직선이 이루는 각도는 180° 예요.

2

삼각형

41

9 보기에서 설명하는 삼각형을 그려 보세요.

보기
- 두 변의 길이가 같습니다.
- 한 각이 둔각입니다.

10 세 삼각형의 같은 점과 다른 점을 쓰세요.

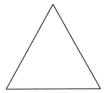

같은 점 _____

다른 점 _____

 삼각형의 변의 길이와 각의 크기를 비교해 봐요.

 추론력

11 길이가 같은 수수깡 3개를 변으로 하는 삼각형을 만들었습니다. 만든 삼각형의 이름이 될 수 <u>없는</u> 것을 찾아 기호를 쓰세요.

㉠ 정삼각형　　㉡ 예각삼각형
㉢ 이등변삼각형　㉣ 둔각삼각형

(　　　　　　)

 수수깡 3개로 삼각형을 만들어 봐요.

12 도형에 선분을 하나 그어 주어진 삼각형 2개가 되도록 각각 만들어 보세요.

(1) 예각삼각형　　　(2) 둔각삼각형

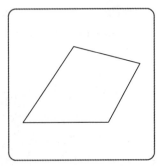 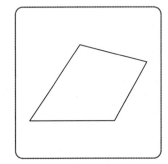

2
삼각형

13 다음은 세 변의 길이의 합이 9 cm인 정삼각형 12개를 겹치지 않게 이어 붙여서 만든 도형입니다. 빨간 선의 길이는 몇 cm일까요?

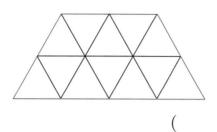

(   )

S 솔루션

정삼각형의 한 변의 길이를 먼저 구해요.

14 직사각형 모양의 종이를 점선을 따라 잘라서 여러 개의 삼각형을 만들었습니다. 예각삼각형은 둔각삼각형보다 몇 개 더 많은지 구하세요.

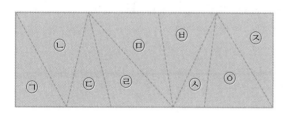

(1) 예각삼각형과 둔각삼각형을 모두 찾아 기호를 쓰세요.

예각삼각형	둔각삼각형

(2) 예각삼각형은 둔각삼각형보다 몇 개 더 많을까요?

(   )

문제 해결

15 다음 도형에서 삼각형 ㄱㄴㄹ과 삼각형 ㄹㄴㄷ은 이등변삼각형입니다. 각 ㄴㄷㄹ의 크기는 몇 도일까요?

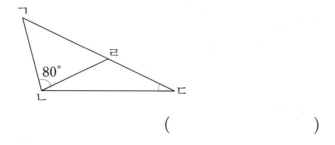

(   )

2

삼각형

43

심화 1

일부가 지워진 삼각형의 이름 찾기

삼각형의 일부가 지워졌습니다. 이 삼각형의 이름이 될 수 있는 것을 모두 찾아 기호를 쓰세요.

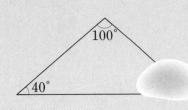

ㄱ 이등변삼각형   ㄴ 정삼각형
ㄷ 예각삼각형   ㄹ 둔각삼각형

해결 순서 1 삼각형의 나머지 한 각의 크기는 몇 도일까요?

(   )

해결 순서 2 삼각형의 이름이 될 수 있는 것을 모두 찾아 기호를 쓰세요.

(   )

1-1 삼각형의 일부가 지워졌습니다. 이 삼각형의 이름이 될 수 있는 것을 모두 찾아 기호를 쓰세요.

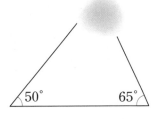

ㄱ 이등변삼각형   ㄴ 정삼각형
ㄷ 예각삼각형   ㄹ 둔각삼각형

(   )

1-2 삼각형의 일부가 지워졌습니다. 이 삼각형의 이름이 될 수 있는 것을 모두 찾아 기호를 쓰세요.

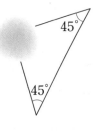

ㄱ 이등변삼각형   ㄴ 정삼각형
ㄷ 예각삼각형   ㄹ 직각삼각형

(   )

심화 2
이등변삼각형에서 변의 길이 구하기

길이가 30 cm인 철사를 겹치지 않게 모두 사용하여 다음과 같은 정삼각형과 이등변삼각형을 1개씩 만들었습니다. ㉠의 길이는 몇 cm인지 구하세요.

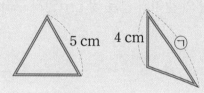

5 cm　4 cm　㉠

해결 순서 1 정삼각형을 만드는 데 사용한 철사의 길이는 몇 cm일까요?

(　　　　　　　)

해결 순서 2 ㉠의 길이는 몇 cm일까요?

(　　　　　　　)

2-1 길이가 40 cm인 끈을 겹치지 않게 모두 사용하여 다음과 같은 정삼각형과 이등변삼각형을 1개씩 만들었습니다. ㉠의 길이는 몇 cm일까요?

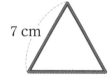

7 cm　6 cm　㉠

(　　　　　　　)

2-2 길이가 53 cm인 끈을 겹치지 않게 모두 사용하여 다음과 같은 정삼각형과 이등변삼각형을 1개씩 만들었습니다. ㉠의 길이는 몇 cm일까요?

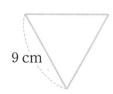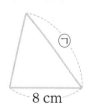

9 cm　㉠　8 cm

(　　　　　　　)

심화 **3**

이등변삼각형의 세 변의 길이의 합 구하기

오른쪽 도형은 똑같은 이등변삼각형 3개를 겹치지 않게 이어 붙여 만든 것입니다. 빨간 선의 길이가 26 cm일 때 이등변삼각형 1개의 세 변의 길이의 합은 몇 cm인지 구하세요.

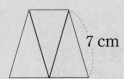

7 cm

해결 **순서 1** 이등변삼각형의 세 변의 길이는 각각 몇 cm일까요?

(   ), (   ), (   )

해결 **순서 2** 이등변삼각형 1개의 세 변의 길이의 합은 몇 cm일까요?

(   )

2

삼각형

3-1 도형은 똑같은 이등변삼각형 4개를 겹치지 않게 이어 붙여 만든 것입니다. 빨간 선의 길이가 42 cm일 때 이등변삼각형 1개의 세 변의 길이의 합은 몇 cm일까요?

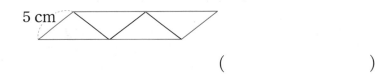

5 cm

(   )

3-2 오른쪽 도형은 똑같은 이등변삼각형 6개를 겹치지 않게 이어 붙여 만든 것입니다. 빨간 선의 길이가 28 cm일 때 이등변삼각형 1개의 세 변의 길이의 합은 몇 cm일까요?

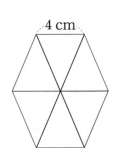

4 cm

(   )

심화 4

겹쳐진 도형에서 각의 크기 구하기

오른쪽 도형은 정삼각형 ㄱㄴㄷ과 이등변삼각형 ㄹㄴㄷ을 겹쳐 놓은 것입니다. 각 ㄱㄷㄹ의 크기를 구하세요.

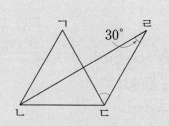

해결 순서 1 각 ㄴㄷㄹ의 크기는 몇 도일까요?

(   )

해결 순서 2 각 ㄴㄷㄱ의 크기는 몇 도일까요?

(   )

해결 순서 3 각 ㄱㄷㄹ의 크기는 몇 도일까요?

(   )

2

삼각형

4-1 오른쪽 도형은 이등변삼각형 ㄱㄴㄷ과 정삼각형 ㄹㄴㄷ을 겹쳐 놓은 것입니다. 각 ㄱㄴㄹ의 크기를 구하세요.

(   )

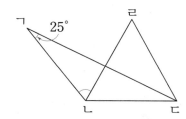

47

4-2 오른쪽 도형은 정삼각형 ㄱㄴㄷ과 이등변삼각형 ㄹㄴㄷ을 겹쳐 놓은 것입니다. 각 ㄹㅁㄷ의 크기를 구하세요.

(   )

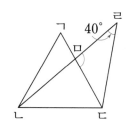

심화 **5**

한 직선 위의
도형에서 각의
크기 구하기

다음 그림에서 삼각형 ㄱㄴㄷ과 삼각형 ㅁㄷㄹ은 이등변삼각형입니다. 각 ㄱㄷㅁ의 크기를 구하세요.

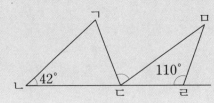

해결 순서 **1**   각 ㄱㄷㄴ의 크기는 몇 도일까요?

(   )

해결 순서 **2**   각 ㅁㄷㄹ의 크기는 몇 도일까요?

(   )

해결 순서 **3**   각 ㄱㄷㅁ의 크기는 몇 도일까요?

(   )

2

삼각형

5-1 오른쪽 그림에서 삼각형 ㄱㄴㄷ과 삼각형 ㅁㄷㄹ은 이등변삼각형입니다. 각 ㄱㄷㅁ의 크기를 구하세요.

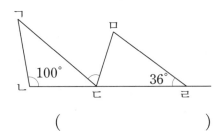

(   )

5-2 오른쪽 그림에서 삼각형 ㄱㄴㄷ과 삼각형 ㅁㄷㄹ은 이등변삼각형입니다. 각 ㄱㄷㅁ의 크기를 구하세요.

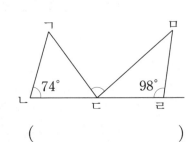

(   )

심화 6
크고 작은 정삼각형의 개수 구하기

오른쪽 도형에서 찾을 수 있는 크고 작은 정삼각형은 모두 몇 개인지 구하세요.

해결 **순서 1** 삼각형 1개짜리 정삼각형은 몇 개일까요?

(   )

해결 **순서 2** 삼각형 4개짜리 정삼각형은 모두 몇 개일까요?

(   )

해결 **순서 3** 삼각형 13개짜리 정삼각형은 몇 개일까요?

(   )

해결 **순서 4** 도형에서 찾을 수 있는 크고 작은 정삼각형은 모두 몇 개일까요?

(   )

2

삼각형

6-1 오른쪽 도형에서 찾을 수 있는 크고 작은 정삼각형은 모두 몇 개일까요?

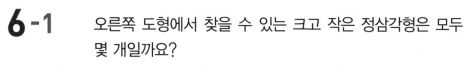

(   )

6-2 오른쪽 도형에서 찾을 수 있는 크고 작은 정삼각형은 모두 몇 개일까요?

(   )

1 알맞은 말에 ○표 하고, □ 안에 알맞은 말을 써넣으세요.

> 예각삼각형은 (한 , 두 , 세) 각이 모두
> □ 인 삼각형입니다.

2 ( ) 안에 예각삼각형이면 '예', 둔각삼각형이면 '둔'을 써넣으세요.

(1) 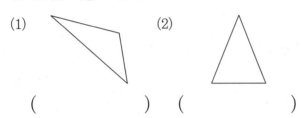 (2)

( ) ( )

[3~4] 삼각형을 분류해 보세요.

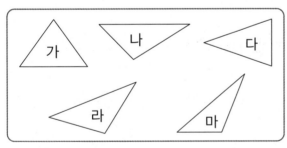

3 이등변삼각형을 모두 찾아 기호를 쓰세요.

( )

4 이등변삼각형이면서 둔각삼각형인 것을 찾아 기호를 쓰세요.

( )

5 다음 도형은 이등변삼각형입니다. □ 안에 알맞은 수를 써넣으세요.

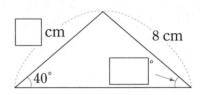

6 □ 안에 알맞은 수를 써넣으세요.

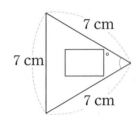

7 주어진 선분을 한 변으로 하는 예각삼각형을 그리려고 합니다. 어느 점을 이어 삼각형을 그려야 할까요? ……………………………… ( )

① ② ③ ④ ⑤

8 왼쪽 삼각형의 이름이 될 수 있는 것을 모두 찾아 ○표 하세요.

예각삼각형   직각삼각형
이등변삼각형   둔각삼각형

9 색종이를 점선을 따라 잘라서 여러 개의 삼각형을 만들었습니다. 둔각삼각형은 모두 몇 개일까요?

(   )

 서술형

10 도형이 정삼각형인 까닭을 쓰세요.

까닭 _____

_____

_____

11 사각형에 선분을 하나 그어 둔각삼각형 2개를 만들어 보세요.

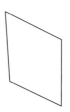

12 다음 도형은 정삼각형입니다. 세 변의 길이의 합은 몇 cm일까요?

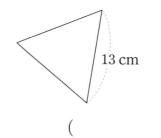

13 cm

(   )

13 바르게 설명한 것을 찾아 기호를 쓰세요.

㉠ 둔각삼각형은 세 각이 모두 둔각입니다.
㉡ 정삼각형은 예각삼각형입니다.
㉢ 이등변삼각형은 정삼각형입니다.
㉣ 이등변삼각형은 예각삼각형입니다.

(   )

2
삼각형

51

14 모눈종이에 예각삼각형과 둔각삼각형을 1개씩 그려 보세요.

15 삼각형 ㄱㄴㄷ은 이등변삼각형입니다. 각 ㄴㄱㄷ 의 크기를 구하세요.

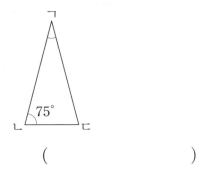

( )

16 그림과 같이 색종이를 반으로 접어 선을 그은 후 선을 따라 잘랐습니다. 잘라서 펼친 삼각형 의 세 변의 길이의 합은 몇 cm일까요?

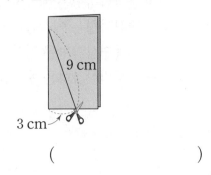

( )

17 삼각형 ㄱㄴㄷ은 이등변삼각형입니다. ㉠의 각 도를 구하세요.

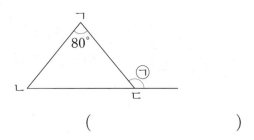

( )

18 두 각의 크기가 65°, 40°인 삼각형이 있습니 다. 이 삼각형은 예각삼각형과 둔각삼각형 중에 서 어떤 삼각형인지 풀이 과정을 쓰고 답을 구하 세요.

풀이

답

19 길이가 60 cm인 실을 겹치지 않게 모두 사용 하여 이등변삼각형 2개를 만들었습니다. ㉠과 ㉡의 길이의 합은 몇 cm일까요?

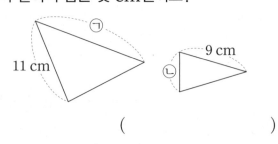

( )

20 정삼각형 ㄱㄴㄷ과 이등변삼각형 ㄹㄹㄷ을 겹쳐 놓은 것입니다. 빨간 선의 길이는 몇 cm일까요?

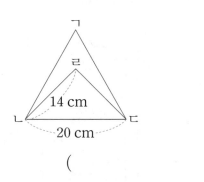

(   )

21 도형에서 찾을 수 있는 크고 작은 예각삼각형은 모두 몇 개일까요?

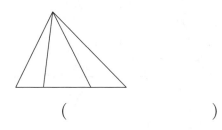

(   )

서술형

22 정삼각형과 이등변삼각형을 오른쪽 그림과 같이 이어 붙여 사각형 ㄱㄴㄷㄹ을 만들었습니다. 사각형 ㄱㄴㄷㄹ의 네 변의 길이의 합이 26 cm일 때 변 ㄱㄴ의 길이는 몇 cm인지 풀이 과정을 쓰고 답을 구하세요.

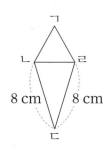

풀이 _____

_____

_____

_____

답 _____

23 직사각형 ㄱㄴㄷㄹ 안에 이등변삼각형 ㄹㅁㄷ을 그렸습니다. 각 ㄹㅁㄷ의 크기를 구하세요.

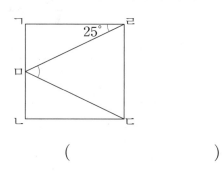

(   )

24 도형에서 변 ㄱㄹ과 변 ㄴㄹ의 길이는 같습니다. 삼각형 ㄱㄴㄷ은 예각삼각형, 직각삼각형, 둔각삼각형 중 어떤 삼각형일까요?

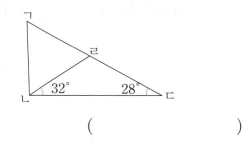

(   )

25 오른쪽 그림에서 사각형 ㄱㄴㄷㄹ은 정사각형이고 삼각형 ㅁㄴㄷ은 정삼각형입니다. 각 ㄱㅁㄹ의 크기는 몇 도일까요?

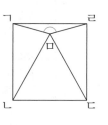

(   )

2

삼각형

53

3 소수의 덧셈과 뺄셈

개념 1 소수 두 자리 수 알아보기

1. 0.01 알아보기

분수 $\dfrac{1}{100}$은 소수로 **0.01**이라 쓰고, **영 점 영일**이라고 읽습니다.

$$\dfrac{1}{100}=0.01$$

2. 소수 두 자리 수 알아보기

(1) $\dfrac{65}{100}$를 소수로 나타내기

$$\dfrac{65}{100}=\textbf{0.65}$$ 읽기 > 영 점 육오

(2) $1\dfrac{34}{100}$를 소수로 나타내기

$$1\dfrac{34}{100}=\textbf{1.34}$$ 읽기 > 일 점 삼사

일의 자리		소수 첫째 자리	소수 둘째 자리
1	.		
0	.	3	
0	.	0	4

⬇

1	.	3	4

1.34에서

1은 일의 자리 숫자이고, **1**을 나타냅니다.
3은 소수 첫째 자리 숫자이고, **0.3**을 나타냅니다.
4는 소수 둘째 자리 숫자이고, **0.04**를 나타냅니다.

> 1.34는 1이 1개, 0.1이 3개, 0.01이 4개

개념 2 소수 세 자리 수 알아보기

1. 0.001 알아보기

분수 $\dfrac{1}{1000}$은 소수로 **0.001**이라 쓰고, **영 점 영영일**이라고 읽습니다.

$$\dfrac{1}{1000}=0.001$$

2. 소수 세 자리 수 알아보기

(1) $\dfrac{453}{1000}$을 소수로 나타내기

$$\dfrac{453}{1000}=\textbf{0.453}$$ 읽기 > 영 점 사오삼

(2) $1\dfrac{257}{1000}$을 소수로 나타내기

$$1\dfrac{257}{1000}=\textbf{1.257}$$ 읽기 > 일 점 이오칠

일의 자리		소수 첫째 자리	소수 둘째 자리	소수 셋째 자리
1	.			
0	.	2		
0	.	0	5	
0	.	0	0	7

⬇

1	.	2	5	7

1.257에서

1은 일의 자리 숫자이고, **1**을 나타냅니다.
2는 소수 첫째 자리 숫자이고, **0.2**를 나타냅니다.
5는 소수 둘째 자리 숫자이고, **0.05**를 나타냅니다.
7은 소수 셋째 자리 숫자이고, **0.007**을 나타냅니다.

개념 3　소수의 크기 비교하기

소수 첫째 자리 수를 비교해 보세요.

$0.72 > 0.5$

소수 둘째 자리 수를 비교해 보세요.

$3.16 \; ? \; 3.19$　→　$3.16 < 3.19$

$2.324 \; ? \; 2.328$　→　$2.324 \; ? \; 2.328$

소수 셋째 자리 수를 비교해 보세요.　$2.324 < 2.328$

참고 0.4와 0.40은 같은 수입니다. 소수는 필요한 경우 오른쪽 끝자리에 0을 붙여서 나타낼 수 있습니다.

$$0.4 = 0.40$$

개념 4　소수 사이의 관계 알아보기

• 1, 0.1, 0.01, 0.001 사이의 관계

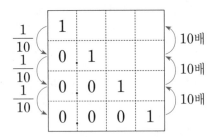

(1) 소수의 $\dfrac{1}{10}$, $\dfrac{1}{100}$, $\dfrac{1}{1000}$ 은 소수점을 기준으로 수가 **오른쪽으로 한 자리, 두 자리, 세 자리** 이동합니다.

(2) 소수를 **10배, 100배, 1000배** 하면 소수점을 기준으로 수가 **왼쪽으로 한 자리, 두 자리, 세 자리** 이동합니다.

개념 5　소수 한 자리 수의 덧셈

예 1.3＋0.8의 계산

방법 1 모눈종이를 이용하여 덧셈하기

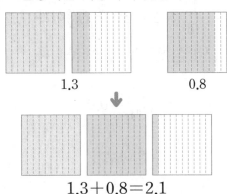

1.3　　　0.8

↓

$1.3 + 0.8 = 2.1$

방법 2 0.1의 개수를 이용하여 덧셈하기
1.3은 0.1이 13개입니다.
0.8은 0.1이 8개입니다.
➡ 1.3＋0.8은 0.1이 모두 21개이므로 2.1입니다.

방법 3 세로셈으로 덧셈하기

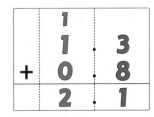

① 소수점의 자리를 맞추어 세로로 씁니다.
② 자연수의 덧셈과 같은 방법으로 계산합니다.
③ 소수점을 그대로 내려 찍습니다.

받아올림한 수는 작게 써서 계산할 때 더하는 것 잊지마.

주의 소수의 덧셈을 할 때에는 자연수의 덧셈과 같은 방법으로 계산한 후 반드시 소수점을 찍어야 합니다.

예
$$\begin{array}{r} 1 \\ 4.5 \\ + \; 0.7 \\ \hline 5.2 \end{array}$$

개념 6 소수 한 자리 수의 뺄셈

예 3.4−1.5의 계산

방법 1 수직선을 이용하여 뺄셈하기

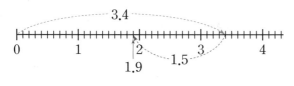

$$3.4-1.5=1.9$$

방법 2 0.1의 개수를 이용하여 뺄셈하기

3.4는 0.1이 34개입니다.

1.5는 0.1이 15개입니다.

→ 3.4−1.5는 0.1 모두 19개이므로
1.9입니다.

방법 3 세로셈으로 뺄셈하기

	2 3	10 4
−	1	5
	1	9

① 소수점의 자리를 맞추어 세로로 씁니다.
② 자연수의 뺄셈과 같은 방법으로 계산합니다.
③ 소수점을 그대로 내려 찍습니다.

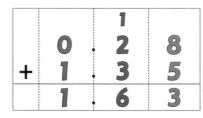

소수 첫째 자리 수끼리 뺄 수 없으면 일의 자리에서 받아내림해서 계산해.

개념 7 소수 두 자리 수의 덧셈

1. 자릿수가 같은 소수 두 자리 수의 덧셈

예 0.28+1.35의 계산

		1	
	0 .	2	8
+	1 .	3	5
	1 .	6	3

2. 자릿수가 다른 소수 두 자리 수의 덧셈

예 0.88+0.2의 계산

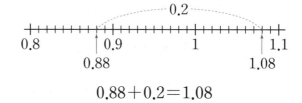

$$0.88+0.2=1.08$$

		1		
	0	0 .	8	8
+	0	0 .	2	
		1 .	0	8

개념 8 소수 두 자리 수의 뺄셈

1. 자릿수가 같은 소수 두 자리 수의 뺄셈

예 0.46−0.17의 계산

		3	10
	0 .	4	6
−	0 .	1	7
	0 .	2	9

2. 자릿수가 다른 소수 두 자리 수의 뺄셈

예 1.2−0.92의 계산

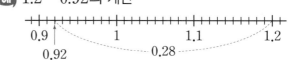

$$1.2-0.92=0.28$$

		0 1	11 2	10
−	0 .	9	2	
	0 .	2	8	

1.2는 1.20과 같은 수임을 이용하여 0이 있다고 생각하고 계산해 봐.

1 소수 두 자리 수

- 분수 $\frac{1}{100}$은 소수로 **0.01**이라 쓰고,

  영 점 영일이라고 읽습니다. ➡ $\frac{1}{100} = 0.01$

- $\frac{73}{100} =$ **0.73** ➡ 읽기 영 점 칠삼

1 전체 크기가 1인 모눈종이에 색칠된 부분을 분수와 소수로 각각 나타내 보세요.

분수	소수

2 ☐ 안에 알맞은 수나 말을 써넣으세요.

5.21에서 1은 ☐ 자리 숫자

이고 ☐ 을/를 나타냅니다.

3 관계있는 것끼리 선으로 이어 보세요.

0.42	•	•	일 점 영칠
$\frac{65}{100}$	•	•	$\frac{42}{100}$
1.07	•	•	0.65

추론력

4 ☐ 안에 알맞은 소수를 써넣으세요.

(1)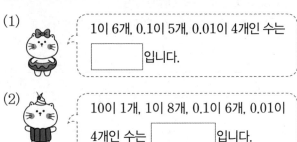
1이 6개, 0.1이 5개, 0.01이 4개인 수는 ☐ 입니다.

(2)
10이 1개, 1이 8개, 0.1이 6개, 0.01이 4개인 수는 ☐ 입니다.

5 소수 둘째 자리 숫자가 2인 수를 찾아 ○표 하세요.

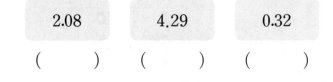

2.08	4.29	0.32
( )	( )	( )

6 수직선을 보고 ㉠과 ㉡이 나타내는 소수를 각각 쓰세요.

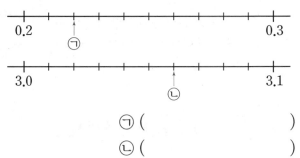

㉠ (   )

㉡ (   )

7 미진이의 키는 1 m 32 cm입니다. 미진이의 키는 몇 m인지 소수로 나타내 보세요. 꼭 단위까지 따라 쓰세요.

(m)

2 소수 세 자리 수

• 분수 $\dfrac{1}{1000}$은 소수로 **0.001**이라 쓰고,

영 점 영영일이라고 읽습니다. ➡ $\dfrac{1}{1000}=0.001$

• $\dfrac{316}{1000}=$ **0.316** ➡ (읽기) 영 점 삼일육

8 다음이 나타내는 수를 쓰고 읽어 보세요.

> 0.1이 7개, 0.01이 2개,
> 0.001이 4개인 수

쓰기 (   )
읽기 (   )

9 일의 자리 숫자가 5, 소수 첫째 자리 숫자가 0, 소수 둘째 자리 숫자가 7, 소수 셋째 자리 숫자가 2인 소수 세 자리 수를 쓰세요.

(   )

10 은우가 말한 수에서 소수 셋째 자리 숫자와 그 숫자가 나타내는 수를 각각 쓰세요.

4.159

은우

숫자 (   )
나타내는 수 (   )

11 소수를 잘못 읽은 것을 찾아 기호를 쓰세요.

> ㉠ 0.168 ➡ 영 점 일육팔
> ㉡ 0.029 ➡ 영 점 영이구
> ㉢ 1.063 ➡ 일 점 육삼

(   )

(문제 해결)

12 □ 안에 알맞은 수를 써넣으세요.

0.258보다 ┌ 0.001 큰 수 ➡ ☐
       ├ 0.01 큰 수 ➡ ☐
       └ 0.1 큰 수 ➡ ☐

13 다음 중 5가 나타내는 수가 <u>다른</u> 것은 어느 것일까요? ······ (   )

① 21.095   ② 17.875
③ 6.253   ④ 10.145
⑤ 0.685

14 지수네 집에서 놀이터까지의 거리는 207 m입니다. 지수네 집에서 놀이터까지의 거리는 몇 km인지 소수로 나타내 보세요.

꼭 단위까지
따라 쓰세요.

(km   )

3

소수의 덧셈과 뺄셈

3 소수의 크기 비교하기

① 자연수가 클수록 더 큰 수입니다.

예 **2.41 < 3.1**
└─ 2<3 ─┘

② 자연수가 같으면 소수 첫째 자리부터 차례로 같은 자리 수끼리 비교합니다.

예 **7.253 < 7.258**
└─ 3<8 ─┘

15 전체 크기가 1인 모눈종이에 두 소수만큼 색칠하고, 크기를 비교해 보세요.

0.58   0.63

0.58 ◯ 0.63

16 소수에서 생략할 수 있는 0을 찾아 보기 와 같이 나타내 보세요.

보기
0.7̸0̸   6.8̸0̸

0.010   0.98   13.750
8.100   3.05   50.11

17 두 소수의 크기를 비교하여 ◯ 안에 >, =, < 를 알맞게 써넣으세요.

5.19 ◯ 5.17

18 0.4보다 작은 수를 찾아 쓰세요.

0.725   0.086   0.49   4.007

(   )

19 ☐ 안에 들어갈 수 있는 수를 모두 찾아 ◯표 하세요.

1.56 < 1.5☐

(4 , 5 , 6 , 7 , 8)

20 200 m 달리기를 하여 기록을 재었더니 상민이가 24.05초이고, 주호가 24.19초였습니다. 기록이 더 빠른 사람은 누구일까요?

(   )

창의·융합

21 학교에서 문구점과 서점까지의 거리를 나타낸 것입니다. 문구점과 서점 중 학교에서 더 가까운 곳은 어디일까요?

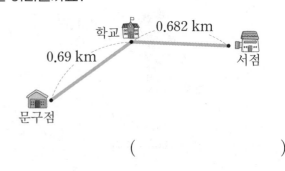

(   )

4 소수 사이의 관계

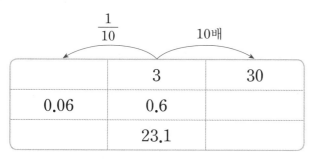

22 빈칸에 알맞은 수를 써넣으세요.

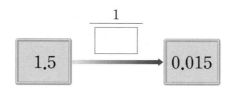

	3	30
0.06	0.6	
	23.1	

23 ☐ 안에 알맞은 수를 써넣으세요.

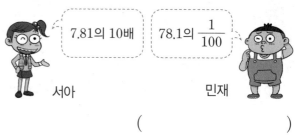

1.5 → 0.015

24 ☐ 안에 알맞은 수를 써넣으세요.

13.5의 $\frac{1}{100}$은 ☐ 이고,

10배는 ☐ 입니다.

25 0.781을 설명한 사람의 이름을 쓰세요.

7.81의 10배   78.1의 $\frac{1}{100}$

서아   민재

(   )

26 ㉠이 나타내는 수는 ㉡이 나타내는 수의 몇 배일까요?

23.473
㉠ ㉡

꼭 단위까지
따라 쓰세요.

(배   )

27 과일 가게에 사과는 5.67 kg 있고, 배는 사과 무게의 10배만큼 있습니다. 과일 가게에 있는 배의 무게는 몇 kg일까요?

(kg   )

28 소유는 리본을 8.01 m 가지고 있습니다. 동생에게 리본 전체 길이의 $\frac{1}{10}$만큼 주려고 할 때 소유가 동생에게 줄 리본은 몇 m인지 소수로 나타내 보세요.

(m   )

1단계 기본 🕀 유형 연습

활용 1 나타내는 수가 가장 큰(작은) 것 찾기

① 각각의 소수에서 주어진 숫자가 나타내는 수를 알아봅니다.
② 크기를 비교하여 가장 큰(작은) 것을 찾습니다.

1-1 6이 나타내는 수가 가장 큰 것을 찾아 기호를 쓰세요.

> ㉠ 1.68   ㉡ 6.41
> ㉢ 3.064   ㉣ 0.726

(   )

1-2 3이 나타내는 수가 가장 큰 것을 찾아 기호를 쓰세요.

> ㉠ 2.43   ㉡ 0.093
> ㉢ 1.503   ㉣ 0.37

(   )

1-3 7이 나타내는 수가 가장 작은 것을 찾아 기호를 쓰세요.

> ㉠ 0.17   ㉡ 0.764
> ㉢ 4.097   ㉣ 7.1

(   )

활용 2 소수 사이의 관계를 이용하여 소수 구하기

주어진 수를 구한 후 소수 사이의 관계를 이용하여 알맞은 소수를 구합니다.

$$1 \underset{10배}{\overset{\frac{1}{10}}{\rightleftarrows}} 0.1 \underset{10배}{\overset{\frac{1}{10}}{\rightleftarrows}} 0.01 \underset{10배}{\overset{\frac{1}{10}}{\rightleftarrows}} 0.001$$

2-1 다음이 나타내는 수의 $\frac{1}{10}$인 수를 구하세요.

> 1이 2개, 0.1이 4개, 0.01이 9개인 수

(   )

2-2 다음이 나타내는 수의 $\frac{1}{100}$인 수를 구하세요.

> 1이 5개, 0.1이 6개인 수

(   )

2-3 다음이 나타내는 수의 10배인 수를 구하세요.

> 1이 1개, 0.1이 2개, 0.001이 8개인 수

(   )

활용 3 두 수 사이에 있는 소수 구하기

$\dfrac{1}{100}$ 또는 $\dfrac{1}{10}$이 ■개인 수를 소수로 나타낸 후 두 소수 사이에 있는 소수 두 자리 수를 구합니다.

3-1 $\dfrac{1}{100}$이 76개인 수와 0.8 사이에 있는 소수 두 자리 수를 모두 쓰세요.

( )

3-2 $\dfrac{1}{100}$이 37개인 수와 0.4 사이에 있는 소수 두 자리 수를 모두 쓰세요.

( )

3-3 $\dfrac{1}{10}$이 5개인 수와 0.55 사이에 있는 소수 두 자리 수를 모두 쓰세요.

( )

활용 4 소수의 크기 비교하는 실생활 문제

① 소수 사이의 관계를 이용하여 길이나 양을 구합니다.
② 소수의 크기 비교를 통해 길이나 양을 비교합니다.

4-1 털실을 민석이는 270.4 m의 $\dfrac{1}{100}$만큼 가지고 있고, 우현이는 27 m 가지고 있습니다. 누가 가지고 있는 털실의 길이가 더 길까요?

( )

4-2 주스를 유진이는 1.5 L의 $\dfrac{1}{10}$만큼 마셨고, 다희는 0.2 L 마셨습니다. 누가 주스를 더 많이 마셨을까요?

( )

4-3 참기름은 0.954 L의 10배만큼 있고, 들기름은 9.08 L 있습니다. 참기름과 들기름 중 어느 것이 더 적게 있을까요?

( )

1 다음이 나타내는 수를 소수로 나타내고, 읽어 보세요.

> 1이 5개, 0.1이 2개, 0.001이 76개인 수

쓰기 (　　　　　　　)

읽기 (　　　　　　　)

2 ㉠이 나타내는 수는 ㉡이 나타내는 수의 몇 배일까요?

> 58.41　　　　1.208
> ㉠　　　　　　㉡

(　　　　　　　)

S 솔루션

㉠은 일의 자리 숫자이고 ㉡은 소수 셋째 자리 숫자예요.

3 정수가 선물을 포장하는 데 사용한 리본입니다. 정수가 사용한 리본은 몇 m인지 소수로 나타내 보세요.

0　0.1　0.2　0.3　0.4　0.5　0.6　0.7　0.8　0.9　1 m

(　　　　　　　)

수직선에서 작은 눈금 한 칸의 길이는 0.01 m예요.

4 무게가 4.9 kg인 나무 막대가 있습니다. 이 나무 막대를 똑같이 10도막으로 잘랐습니다. 자른 나무 막대 1도막의 무게는 몇 kg일까요?

(　　　　　　　)

5 다람쥐가 먹이를 찾아가고 있습니다. 갈림길에서는 더 큰 소수가 있는 길로 갑니다. 다람쥐가 도착한 곳에는 어떤 먹이가 있을까요?

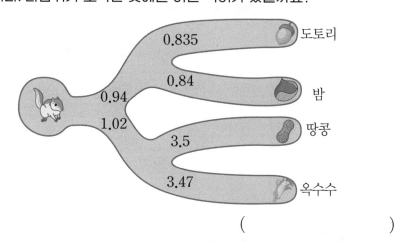

(   )

 문제 해결

6 은우와 건우의 대화를 읽고 건우의 대답을 완성하세요.

$$0.78 \bigcirc 0.8$$

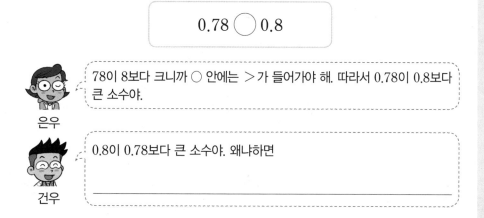

은우: 78이 8보다 크니까 ○ 안에는 > 가 들어가야 해. 따라서 0.78이 0.8보다 큰 소수야.

건우: 0.8이 0.78보다 큰 소수야. 왜냐하면
_____

7 집에서 학교까지의 거리가 가장 가까운 사람은 누구인지 구하세요.

이름	서준	선영	지원
집에서 학교까지의 거리	1.15 km	1.2 km	$\frac{96}{100}$ km

(1) 지원이네 집에서 학교까지의 거리는 몇 km인지 소수로 나타내 보세요.

(   )

(2) 집에서 학교까지의 거리가 가장 가까운 사람은 누구일까요?

(   )

3

소수의 덧셈과 뺄셈

65

먼저 지원이네 집에서 학교까지의 거리를 소수로 나타내요.

S 솔루션

5 소수 한 자리 수의 덧셈

예 0.7+0.5의 계산

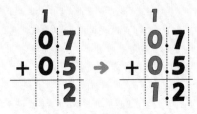

1 전체 크기가 1인 모눈종이에 0.2만큼 색칠되어 있습니다. 이어서 0.6만큼 색칠하고, □ 안에 알맞은 수를 써넣으세요.

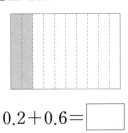

$$0.2+0.6=\boxed{}$$

2 수직선을 보고 □ 안에 알맞은 수를 써넣으세요.

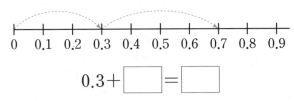

$$0.3+\boxed{}=\boxed{}$$

3 □ 안에 알맞은 수를 써넣으세요.

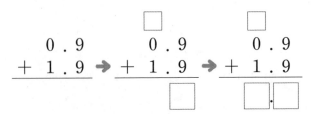

4 빈칸에 알맞은 수를 써넣으세요.

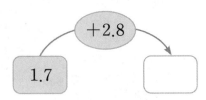

5 계산 결과를 비교하여 ○ 안에 >, =, <를 알맞게 써넣으세요.

$$0.4+0.5 \bigcirc 1$$

6 집에서 도서관을 거쳐 학교까지 가는 거리는 몇 km일까요?

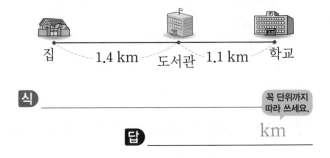

식 _____ 꼭 단위까지 따라 쓰세요.

답 _____ km

7 소금물 3.6 L가 들어 있는 통에 소금물 0.5 L를 더 넣었습니다. 소금물은 모두 몇 L가 될까요?

식 _____

답 _____ L

6 소수 한 자리 수의 뺄셈

예 1.3−0.8의 계산

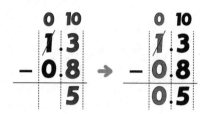

8 0.9−0.4는 얼마인지 알아보세요.

0.9−0.4 = [ ]

9 그림을 보고 □ 안에 알맞은 수를 써넣으세요.

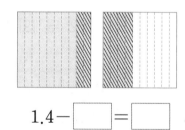

1.4 − [ ] = [ ]

10 계산해 보세요.

(1) 0.7−0.2   (2) 4.8−1.3

11 빈칸에 알맞은 수를 써넣으세요.

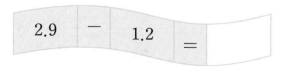

12 □ 안에 알맞은 수를 구하세요.

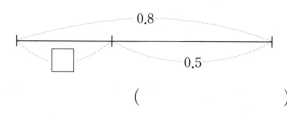

(   )

13 다음이 설명하는 수를 구하세요.

5보다 2.9 작은 수

(   )

14 두 색 테이프의 길이의 차는 몇 m인지 구하세요.

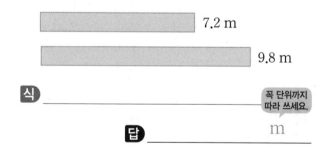

식 _____

꼭 단위까지 따라 쓰세요.

답 _____ m

창의·융합

15 석진이는 1.5 L짜리 주스 한 병을 샀습니다. 그 중에서 0.9 L를 마셨다면 석진이가 마시고 남은 주스는 몇 L일까요?

식 _____

답 _____ L

3

소수의 덧셈과 뺄셈

1^{단계} 기본 유형 연습

7 소수 두 자리 수의 덧셈

예 0.48＋0.29의 계산

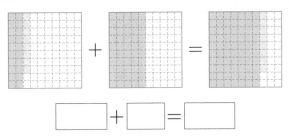

16 전체 크기가 1인 모눈종이에 색칠된 그림을 보고 □ 안에 알맞은 소수를 써넣으세요.

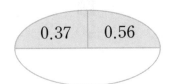

□ ＋ □ ＝ □

17 계산해 보세요.

(1)　　0.4 2
　　＋ 0.1 3

(2)　　1.8 9
　　＋ 2.0 5

18 빈칸에 두 수의 합을 써넣으세요.

19 민재가 설명하는 수는 얼마일까요?

5.33보다 0.45 큰 수

민재

(　　　　　　　)

⚡ 추론력

20 2.58＋0.7의 계산이 잘못된 곳을 찾아 바르게 계산해 보세요.

　　2.5 8
＋　0.7
　　2.6 5
→

21 관계있는 것끼리 선으로 이어 보세요.

0.18＋0.4　·

0.35＋0.83　·

· 0.73

· 0.58

· 1.18

22 참외 1개와 사과 1개의 무게의 합은 몇 kg일까요?

	참외 1개	사과 1개
무게	0.29 kg	0.38 kg

식 _____ 꼭 단위까지 따라 쓰세요.

답 _____ kg

🔴 융합형

23 등산로 입구에서 약수터까지는 4.12 km이고, 약수터에서 정상까지는 3.76 km입니다. 등산로 입구에서 약수터를 거쳐 정상까지 가는 거리는 몇 km일까요?

식 _____

답 _____ km

3

소수의 덧셈과 뺄셈

8 소수 두 자리 수의 뺄셈

예 3.45−0.98의 계산

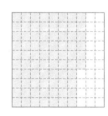

$$\begin{array}{r} \overset{3}{\cancel{3}}.\overset{10}{\cancel{4}}5 \\ -0.98 \\ \hline 7 \end{array} \rightarrow \begin{array}{r} \overset{2}{\cancel{3}}.\overset{13}{\cancel{4}}\overset{10}{\cancel{5}} \\ -0.98 \\ \hline 47 \end{array} \rightarrow \begin{array}{r} \overset{2}{\cancel{3}}.\overset{13}{\cancel{4}}\overset{10}{\cancel{5}} \\ -0.98 \\ \hline 2.47 \end{array}$$

24 전체 크기가 1인 모눈종이에 0.76만큼 색칠되어 있습니다. 0.53만큼 ×로 지우고, □ 안에 알맞은 수를 써넣으세요.

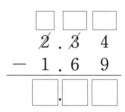

$0.76 − 0.53 =$ ☐

25 □ 안에 알맞은 수를 써넣으세요.

$$\begin{array}{r} \square\ .\ \square\ \ \square \\ \overset{1}{\cancel{2}}.\ 3\ \ 4 \\ -\ 1.\ 6\ \ 9 \\ \hline \square\ .\ \square \end{array}$$

26 계산해 보세요.

(1)
$$\begin{array}{r} 7.4\ 7 \\ -\ 2.1\ 6 \\ \hline \end{array}$$

(2)
$$\begin{array}{r} 6.1 \\ -\ 3.4\ 8 \\ \hline \end{array}$$

27 큰 수에서 작은 수를 빼면 얼마일까요?

4.1	7.36

(   )

28 빈칸에 알맞은 수를 써넣으세요.

$\xrightarrow{\ \ -\ \ }$

1.25	0.14	
7.54	5.25	

29 계산 결과가 더 큰 것을 찾아 기호를 쓰세요.

ㄱ 0.6−0.27   ㄴ 3.34−2.91

(   )

30 탁자의 가로는 세로보다 몇 m 더 길까요?

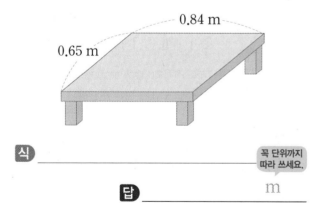

0.84 m
0.65 m

식 _____

꼭 단위까지 따라 쓰세요.

답 _____ m

31 할머니 댁까지의 거리는 43.59 km입니다. 이 중 12.46 km는 기차를 타고 갔다면 남은 거리는 몇 km일까요?

식 _____

답 _____ km

활용 5 나타내는 두 수의 합과 차 구하기

㉠과 ㉡이 나타내는 수를 각각 구하여 두 수의 합 또는 차를 구합니다.

5-1 ㉠과 ㉡이 나타내는 수의 합을 구하세요.

> ㉠ 1이 4개, 0.1이 6개인 수
> ㉡ 1이 2개, 0.1이 7개인 수

( )

5-2 ㉠과 ㉡이 나타내는 수의 합을 구하세요.

> ㉠ 0.1이 3개, 0.01이 8개인 수
> ㉡ 1이 1개, 0.1이 8개인 수

( )

5-3 ㉠과 ㉡이 나타내는 수의 차를 구하세요.

> ㉠ 1이 2개, 0.1이 5개, 0.01이 3개인 수
> ㉡ 0.1이 6개, 0.01이 1개인 수

( )

활용 6 단위가 다를 때의 덧셈과 뺄셈

구하려는 단위에 맞게 같은 단위로 나타낸 다음 소수의 덧셈과 뺄셈을 계산합니다.

$$1\,L = 1000\,mL, \quad 1\,kg = 1000\,g$$
$$1\,m = 100\,cm$$

6-1 물 1.44 L가 들어 있는 물통에 물 450 mL를 더 부었습니다. 물통에 들어 있는 물은 모두 몇 L일까요?

( )

6-2 무게가 580 g인 빈 상자에 2.9 kg짜리 조각품을 담았습니다. 조각품을 담은 상자의 무게는 몇 kg일까요?

( )

6-3 노란색 리본은 1.67 m이고, 파란색 리본은 174 cm입니다. 어느 리본이 몇 m 더 길까요?

( ), ( )

활용 7

□ 안에 들어갈 수 있는 가장 큰(작은) 수 구하기

계산을 한 후 계산 결과와 비교하여 □ 안에 들어갈 수 있는 가장 큰(작은) 수를 구합니다.

7-1 □ 안에 들어갈 수 있는 소수 한 자리 수 중에서 가장 큰 수를 구하세요.

$$6.2-2.4>□$$

(   )

7-2 □ 안에 들어갈 수 있는 소수 두 자리 수 중에서 가장 큰 수를 구하세요.

$$3.5-1.26>□$$

(   )

7-3 □ 안에 들어갈 수 있는 소수 두 자리 수 중에서 가장 작은 수를 구하세요.

$$1.54+2.72<□$$

(   )

활용 8

□ 안에 알맞은 수 구하기

계산할 수 있는 부분을 먼저 계산하여 식을 간단히 한 후 덧셈과 뺄셈의 관계를 이용하여 □ 안에 알맞은 수를 구합니다.

8-1 □ 안에 알맞은 수를 구하세요.

$$□-7.54=10.36-5.09$$

(   )

8-2 □ 안에 알맞은 수를 구하세요.

$$1.98+□=9.22-2.05$$

(   )

8-3 □ 안에 알맞은 수를 구하세요.

$$6.48+5.76=□+2.7$$

(   )

1 두 수의 합과 차를 각각 구하세요.

| 4.5 | 3.7 |

합 (   )

차 (   )

2 빈칸에 알맞은 수를 써넣으세요.

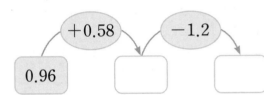

창의·융합

3 사과가 들어 있는 바구니의 무게는 3.1 kg입니다. 빈 바구니의 무게가 0.3 kg일 때 사과만의 무게는 몇 kg일까요?

식 _____

답 _____

4 보리가 0.65 kg, 콩이 0.87 kg 있습니다. 보리와 콩을 모으면 모두 몇 kg인지 여러 가지 방법으로 구하세요.

방법 1

방법 2

( )

모눈종이, 수직선, 세로셈 등을 이용하여 구할 수 있어요.

5 가장 큰 수와 가장 작은 수의 합을 구하세요.

| 0.8 | 2.1 | 2 | 1.6 |

( )

6 한 달 동안 우유를 지윤이는 5.2 L 마셨고, 현우는 3.7 L 마셨습니다. 한 달 동안 우유를 누가 몇 L 더 많이 마셨는지 구하세요.

식 _____

답 _____ , _____

7 계산 결과를 비교하여 ◯ 안에 >, =, <를 알맞게 써넣으세요.

$$3-1.4 \bigcirc 6.89-4.01$$

먼저 소수의 뺄셈을 한 다음 계산 결과를 비교해요.

8 한 변의 길이가 0.8 km인 정사각형 모양의 땅을 가로는 0.7 km 늘리고, 세로는 0.5 km 줄여서 직사각형 모양으로 만들었습니다. 만든 땅의 네 변의 길이의 합은 몇 km인지 구하세요.

정사각형은 네 변의 길이가 모두 같아요.

(1) 만든 땅의 가로와 세로는 각각 몇 km일까요?

가로 ( ), 세로 ( )

(2) 만든 땅의 네 변의 길이의 합은 몇 km일까요?

( )

3

소수의 덧셈과 뺄셈

73

9 계산 결과가 같은 것끼리 선으로 이어 보세요.

1.31＋0.16 •	• 0.9＋0.8
2.4－0.7 •	• 3.92－2.45
1.8＋1.4 •	• 2.21＋0.99

10 빈칸에 알맞은 수를 써넣으세요.

　 → ＋0.89 → 1.63

11 지안이와 유찬이가 생각하는 수의 합을 구하세요.

내가 생각하는 수는
0.1이 24개인 수야.

지안

내가 생각하는 수는
일의 자리 숫자가 8이고
소수 첫째 자리 숫자가 1인
소수 한 자리 수야.

유찬

( )

먼저 지안이와 유찬이가 생각하는 소수가 무엇인지 알아 봐요.

12 밀가루 2.61 kg이 있었습니다. 그중에서 과자를 만드는 데 1 kg을 사용하고, 빵을 만드는 데 0.75 kg을 사용했습니다. 사용하고 남은 밀가루는 몇 kg일까요?

( )

추론력

13 소수 두 자리 수의 덧셈식에 잉크가 묻어 일부분이 보이지 않습니다. ㉠, ㉡, ㉢에 알맞은 수를 구하세요.

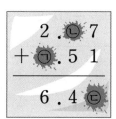

㉠ (   ), ㉡ (   ), ㉢ (   )

 솔루션

받아올림에 주의하여 ㉠, ㉡, ㉢에 알맞은 수를 구해요.

14 길이가 6.6 cm인 색 테이프와 8.4 cm인 색 테이프가 있습니다. 두 색 테이프를 겹치게 이어 붙였더니 색 테이프 전체의 길이가 10.48 cm입니다. 겹친 부분의 길이는 몇 cm일까요?

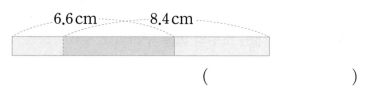

(   )

(겹친 부분의 길이)
=(두 색 테이프의 길이의 합)
　－(이어 붙인 색 테이프
　　전체의 길이)

3

소수의 덧셈과 뺄셈

15 어떤 수에서 3.94를 빼야 할 것을 잘못하여 더했더니 15.16이 되었습니다. 바르게 계산한 값을 구하세요.

(1) 어떤 수를 □라 하여 잘못 계산한 식을 만들어 보세요.

　식 _____

(2) 어떤 수는 얼마일까요?

(   )

(3) 바르게 계산한 값을 구하세요.

(   )

심화 1

수직선에 나타낸 소수의 덧셈과 뺄셈

수직선에서 ㉠과 ㉡이 나타내는 소수의 합을 구하세요.

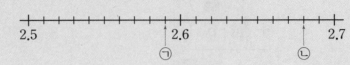

해결 순서 1 ㉠과 ㉡이 나타내는 소수를 각각 쓰세요.

㉠ (   ), ㉡ (   )

해결 순서 2 ㉠과 ㉡이 나타내는 소수의 합을 구하세요.

(   )

1-1 수직선에서 ㉠과 ㉡이 나타내는 소수의 합을 구하세요.

(   )

1-2 수직선에서 ㉠과 ㉡이 나타내는 소수의 차를 구하세요.

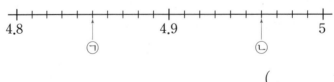

(   )

심화 2

□ 안에 들어갈 수 있는 수의 개수 구하기

1부터 9까지의 자연수 중에서 □ 안에 들어갈 수 있는 수는 모두 몇 개인지 구하세요.

$$8.504 < 8.\boxed{}08$$

해결 순서 ❶ 1부터 9까지의 자연수 중에서 □ 안에 들어갈 수 있는 수를 모두 구하세요.

( )

해결 순서 ❷ 1부터 9까지의 자연수 중에서 □ 안에 들어갈 수 있는 수는 모두 몇 개일까요?

( )

2-1 1부터 9까지의 자연수 중에서 □ 안에 들어갈 수 있는 수는 모두 몇 개인지 구하세요.

$$6.4\boxed{}7 > 6.438$$

( )

2-2 1부터 9까지의 자연수 중에서 □ 안에 들어갈 수 있는 수는 모두 몇 개인지 구하세요.

$$7.2\boxed{}4 < 7.253$$

( )

심화 3

소수 사이의 관계

어떤 소수의 $\frac{1}{10}$은 0.074입니다. 어떤 소수의 10배는 얼마인지 구하세요.

해결 순서 1 어떤 소수의 $\frac{1}{10}$이 0.074이면 어떤 소수는 0.074의 몇 배일까요?

(   )

해결 순서 2 어떤 소수는 무엇일까요?

(   )

해결 순서 3 어떤 소수의 10배는 얼마일까요?

(   )

3-1 어떤 소수의 $\frac{1}{10}$은 1.256입니다. 어떤 소수의 10배는 얼마인지 구하세요.

(   )

3-2 어떤 소수의 100배는 140입니다. 어떤 소수의 $\frac{1}{100}$은 얼마인지 구하세요.

(   )

심화 4
카드로 만든 소수의 합과 차 구하기

카드를 한 번씩 모두 사용하여 소수 두 자리 수를 만들려고 합니다. 만들 수 있는 가장 큰 수와 가장 작은 수의 합을 구하세요.

2 4 8 .

해결 순서 1 만들 수 있는 가장 큰 수는 무엇일까요?

( )

해결 순서 2 만들 수 있는 가장 작은 수는 무엇일까요?

( )

해결 순서 3 만든 두 수의 합을 구하세요.

( )

3

소수의 덧셈과 뺄셈

4-1 카드를 한 번씩 모두 사용하여 소수 두 자리 수를 만들려고 합니다. 만들 수 있는 가장 큰 수와 가장 작은 수의 차를 구하세요.

5 6 7 .

( )

4-2 카드 1 3 9 . 을 한 번씩 모두 사용하여 소수 두 자리 수를 만들려고 합니다. 서준이가 만든 수와 소윤이가 만든 수의 합을 구하세요.

두 번째로 큰 소수 두 자리 수를 만들었어.

서준

두 번째로 작은 소수 두 자리 수를 만들었어.

소윤

( )

심화 5

조건을 만족하는 소수 구하기

조건을 만족하는 소수를 구하세요.

> • 8보다 크고 9보다 작은 소수 두 자리 수입니다.
> • 소수 첫째 자리 숫자는 3입니다.
> • 0.01이 2개인 수입니다.

해결 순서 1 8보다 크고 9보다 작은 소수의 일의 자리 숫자는 무엇일까요?

( )

해결 순서 2 조건을 만족하는 소수는 무엇일까요?

( )

5-1 조건을 만족하는 소수를 구하세요.

> • 2보다 크고 3보다 작은 소수 두 자리 수입니다.
> • 소수 첫째 자리 숫자는 4입니다.
> • 0.01이 7개인 수입니다.

( )

5-2 조건을 만족하는 소수를 구하세요.

6보다 크고 7보다 작은 소수 세 자리 수야.

소수 첫째 자리 숫자는 5야.

0.01이 2개이고, 0.001이 9개인 수야.

( )

심화 **6**
**서 있는 위치를
알아보고
거리 구하기**

네 사람이 한 줄로 서 있습니다. 동규는 선우보다 4.6 m 뒤에 있고, 은영이보다 2.97 m 뒤에 있습니다. 또 은영이는 재석이보다 3.51 m 앞에 있습니다. 선우와 재석 사이의 거리는 몇 m인지 구하세요.

해결 순서 1 네 사람이 서 있는 위치를 그림으로 나타낸 것입니다. □ 안에 알맞은 이름이나 수를 써넣으세요.

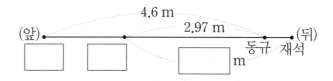

해결 순서 2 선우와 재석 사이의 거리는 몇 m일까요?

( )

6-1 네 사람이 한 줄로 서 있습니다. 준혁이는 희수보다 3.92 m 앞에 있고, 유리보다 1.86 m 앞에 있습니다. 또 유리는 민주보다 5.2 m 뒤에 있습니다. □ 안에 알맞은 이름이나 수를 써넣고, 민주와 희수 사이의 거리는 몇 m인지 구하세요.

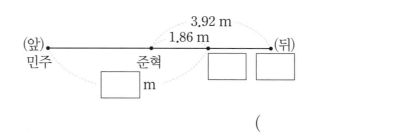

( )

6-2 네 사람이 한 줄로 서 있습니다. 규석이는 세진이보다 2.18 m 앞에 서 있고, 유림이보다 3.49 m 앞에 서 있습니다. 또 유림이는 효리보다 1.5 m 뒤에 서 있습니다. 효리와 세진 사이의 거리는 몇 m일까요?

( )

Test **단원 실력 평가**

1 ☐ 안에 알맞은 수나 말을 써넣으세요.

> 7.389에서 9는 소수 ☐ 자리 숫자이고
> ☐ 을/를 나타냅니다.

2 1이 6개, 0.1이 4개, 0.01이 2개인 소수를 구하세요.

( )

3 두 수의 합을 구하세요.

0.49   1.33

( )

4 5가 나타내는 수가 <u>다른</u> 것을 찾아 기호를 쓰세요.

> ㉠ 0.159   ㉡ 2.05
> ㉢ 11.85   ㉣ 1.705

( )

5 6.72−4.8의 계산이 <u>잘못된</u> 곳을 찾아 바르게 계산해 보세요.

```
  6 . 7 2
−    4 . 8
─────────
  6 . 2 4
```
→ ☐

6 ㉠이 나타내는 수는 ㉡이 나타내는 수의 몇 배일까요?

> 4 7 . 3 4 9
> ㉠   ㉡

( )

7 주영이가 어제는 0.8 km를 걸었고 오늘은 어제보다 0.3 km를 더 많이 걸었습니다. 주영이가 오늘 걸은 거리는 몇 km일까요?

( )

8 빈칸에 알맞은 수를 써넣으세요.

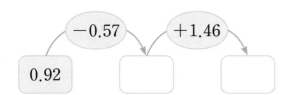

9 더 큰 수를 찾아 기호를 쓰세요.

ㄱ 246의 $\dfrac{1}{10}$

ㄴ 0.246의 10배

(   )

10 인형 1개를 만드는 데 솜 1.51 kg이 필요합니다. 똑같은 인형 2개를 만드는 데 필요한 솜은 몇 kg일까요?

식 _____

답 _____

서술형

11 두 번째로 큰 수와 가장 작은 수의 차를 구하는 풀이 과정을 쓰고 답을 구하세요.

풀이 _____

_____

_____

_____

답 _____

12 계산 결과를 비교하여 ◯ 안에 >, =, <를 알맞게 써넣으세요.

$3.24 + 2.79$ ◯ $9.14 - 2.38$

13 몸무게를 재었더니 형은 35.3 kg이고 동생은 29.55 kg입니다. 형은 동생보다 몇 kg 더 무거울까요?

(   )

3

소수의 덧셈과 뺄셈

14 □ 안에 들어갈 수의 합을 구하세요.

> · 0.8은 0.008의 □ 배입니다.
>
> · 270은 0.27의 □ 배입니다.

( )

15 1부터 9까지의 자연수 중에서 □ 안에 들어갈 수 있는 수를 모두 구하세요.

> $2.46 < 2.4$ □

( )

16 어떤 소수의 $\dfrac{1}{100}$ 은 0.039입니다. 어떤 소수 는 얼마일까요?

( )

17 ●에 알맞은 수를 구하세요.

> ● $+ 0.98 = 0.62 + 2.8$

( )

18 □ 안에 알맞은 수를 써넣으세요.

> $$\begin{array}{r} \square\,.\,7 \\ +\ 1\,.\,\square\ 8 \\ \hline 8\,.\,1\ \square \end{array}$$

19 윤희네 집에는 검은쌀이 1.85 kg 있고, 흰쌀 은 검은쌀의 10배만큼 있습니다. 윤희네 집에 있는 흰쌀과 검은쌀은 모두 몇 kg일까요?

( )

20 민정이는 빨간색 털실 0.79 m와 파란색 털실 130 cm를 가지고 있습니다. 무슨 색 털실이 몇 m 더 길까요?

( ), ( )

21 5장의 카드를 한 번씩 모두 사용하여 가장 큰 소수 세 자리 수를 만들었습니다. 만든 수에서 4가 나타내는 수를 구하세요.

| . | 4 | 7 | 2 | 9 |

( )

23 어떤 수에 5.3을 더해야 할 것을 잘못하여 뺐더니 10.02가 되었습니다. 바르게 계산한 값은 얼마인지 풀이 과정을 쓰고 답을 구하세요.

풀이

답

 서술형

22 그림과 같은 삼각형 ㄱㄴㄷ에서 변 ㄱㄴ은 변 ㄴㄷ보다 1.87 cm 더 짧고, 변 ㄱㄷ은 변 ㄱㄴ보다 2.693 cm 더 깁니다. 변 ㄱㄷ의 길이는 몇 cm인지 풀이 과정을 쓰고 답을 구하세요.

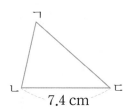

7.4 cm

풀이

답

24 길이가 각각 16 cm, 17.5 cm, 18 cm인 색 테이프를 그림과 같이 2.8 cm씩 겹치게 이어 붙였습니다. 이어 붙인 색 테이프 전체의 길이는 몇 cm일까요?

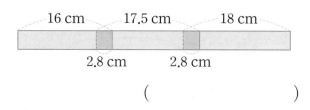

( )

25 진수, 규은, 상태가 운동장에서 1 km 달리기를 하고 있습니다. 조건을 보고 상태가 달린 거리는 몇 km인지 구하세요.

- 진수는 도착 지점을 0.46 km 앞에 두고 있습니다.
- 규은이는 진수보다 0.29 km 앞에 있고, 상태는 규은이보다 0.18 km 뒤에 있습니다.

( )

4 사각형

개념 1 수직 알아보기

1. 수직과 수선

(1) 두 직선이 만나서 이루는 각이 **직각**일 때, 두 직선은 서로 **수직**이라고 합니다.

(2) 두 직선이 서로 수직으로 만나면 한 직선을 다른 직선에 대한 **수선**이라고 합니다.

예

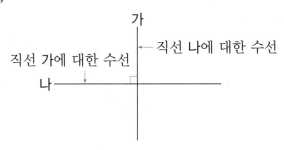

• 직선 가와 직선 나는 서로 수직
• 직선 가는 직선 나에 대한 수선
• 직선 나는 직선 가에 대한 수선

2. 수선 긋기

(1) 삼각자를 사용하여 수선 긋기

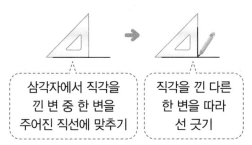

삼각자에서 직각을 낀 변 중 한 변을 주어진 직선에 맞추기

직각을 낀 다른 한 변을 따라 선 긋기

참고 한 직선에 대한 수선은 셀 수 없이 많이 그을 수 있습니다.

 한 직선에 대한 수선은 삼각자나 각도기를 사용하여 그을 수 있어.

(2) 각도기를 사용하여 수선 긋기

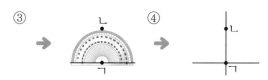

① 직선 위에 점 ㄱ 찍기
② 각도기의 중심을 점 ㄱ에 맞추고 각도기의 밑금을 주어진 직선에 일치하도록 맞추기
③ 각도기에서 90°가 되는 눈금 위에 점 ㄴ 찍기
④ 점 ㄱ과 점 ㄴ을 직선으로 잇기

개념 2 평행 알아보기

1. 평행과 평행선

한 직선에 수직인 두 직선을 그었을 때, 그 두 직선은 서로 만나지 않습니다.

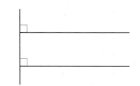

(1) 서로 만나지 않는 두 직선을 **평행**하다고 합니다.
(2) 평행한 두 직선을 **평행선**이라고 합니다.

예

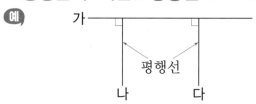

• 직선 가에 수직인 직선은 직선 나와 직선 다입니다.
• 직선 나와 직선 다는 평행합니다.
• 직선 나와 직선 다는 평행선입니다.

4
사각형

87

2. 평행선 긋기

(1) 삼각자를 사용하여 주어진 직선과 평행한 직선 긋기

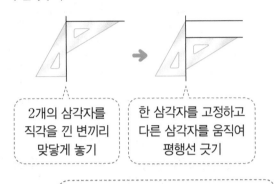

> 2개의 삼각자를 직각을 낀 변끼리 맞닿게 놓기

> 한 삼각자를 고정하고 다른 삼각자를 움직여 평행선 긋기

> 한 직선과 평행한 직선은 셀 수 없이 많이 그을 수 있어.

(2) 삼각자를 사용하여 점 ㄱ을 지나고 주어진 직선과 평행한 직선 긋기

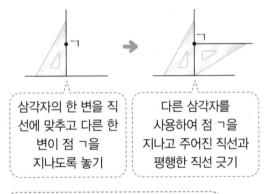

> 삼각자의 한 변을 직선에 맞추고 다른 한 변이 점 ㄱ을 지나도록 놓기

> 다른 삼각자를 사용하여 점 ㄱ을 지나고 주어진 직선과 평행한 직선 긋기

> 한 점을 지나고 한 직선과 평행한 직선은 1개만 그을 수 있어.

예

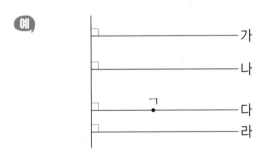

직선 가와 평행한 직선은 직선 나, 다, 라처럼 그을 수 있고 셀 수 없이 많습니다.
그 중에서 한 점 ㄱ을 지나는 직선은 직선 다 1개뿐입니다.

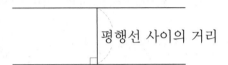
개념 3 평행선 사이의 거리 알아보기

평행선의 한 직선에서 다른 직선에 수선을 긋습니다. 이때 **평행선에 수직인 선분의 길이를 평행선 사이의 거리**라고 합니다.

평행선 사이의 거리

(1) 평행선 사이의 선분 중에서 수선의 길이가 가장 짧습니다. └→ 평행선 사이의 거리
(2) 평행선 사이의 거리는 어디에서 재어도 모두 같습니다.

예 여러 가지 평행선에서 평행선 사이의 거리

평행선 사이의 거리

개념 4 사다리꼴 알아보기

• **사다리꼴**: 평행한 변이 한 쌍이라도 있는 사각형

평행

> 평행한 변이 두 쌍 있는 사각형도 사다리꼴이야.

주의 사다리꼴은 평행한 변이 한 쌍만 있는 사각형이 아니라 평행한 변이 있기만 하면 사다리꼴입니다.

개념 5 평행사변형 알아보기

1. 평행사변형: 마주 보는 두 쌍의 변이 서로 평행한 사각형

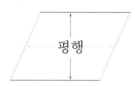
평행

2. 평행사변형의 성질
① 마주 보는 두 변의 길이가 같습니다.
② 마주 보는 두 각의 크기가 같습니다.
③ 이웃한 두 각의 크기의 합이 **180°**입니다.

> 평행사변형은 **마주 보는 두 쌍의 변이 서로 평행하므로** 사다리꼴이라고 할 수 있어.

개념 6 마름모 알아보기

1. 마름모: 네 변의 길이가 모두 같은 사각형

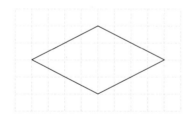

2. 마름모의 성질
① 마주 보는 두 각의 크기가 같습니다.
② 이웃한 두 각의 크기의 합이 **180°**입니다.
③ 마주 보는 꼭짓점끼리 이은 선분이 서로 수직으로 만나고 이등분합니다.

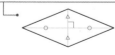

> 마름모는 **마주 보는 두 쌍의 변이 서로 평행하므로** 사다리꼴, 평행사변형이라고 할 수 있어.

개념 7 여러 가지 사각형 알아보기

1. 직사각형의 성질
① 마주 보는 두 쌍의 변이 서로 평행합니다.
② 마주 보는 두 변의 길이가 같습니다.
③ 네 각이 모두 직각입니다.

> 직사각형은 **마주 보는 두 쌍의 변이 서로 평행하므로** 사다리꼴, 평행사변형이라고 할 수 있어.

2. 정사각형의 성질
① 마주 보는 두 쌍의 변이 서로 평행합니다.
② 네 변의 길이가 모두 같습니다.
③ 네 각이 모두 직각입니다.

> 정사각형은 **네 변의 길이가 모두 같으므로** 마름모라고 할 수 있고, **네 각이 모두 직각이므로** 직사각형이라고 할 수 있어.

참고 여러 가지 사각형의 관계

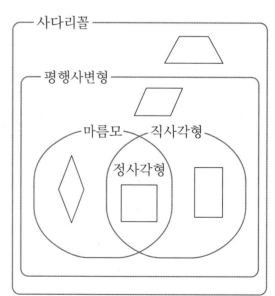

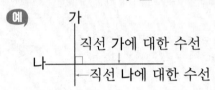

1 단계 기본 유형 연습

1 수직 알아보기

· 두 직선이 만나서 이루는 각이 직각일 때, 두 직선은 서로 **수직**이라고 합니다.

· 두 직선이 서로 **수직**으로 만나면 한 직선을 다른 직선에 대한 **수선**이라고 합니다.

예)
```
        가
         직선 가에 대한 수선
나 ┐─────
         직선 나에 대한 수선
```

1 두 직선이 만나서 이루는 각이 직각인 곳을 모두 찾아 └ 로 표시하세요.

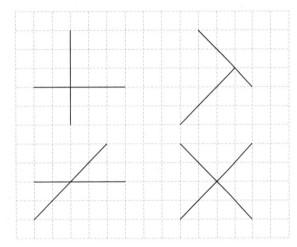

2 서로 수직인 변이 있는 도형을 찾아 기호를 쓰세요.

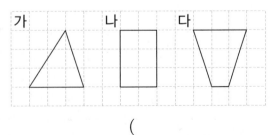

( )

3 모눈종이에 주어진 선분에 대한 수선을 그어 보세요.

4 삼각자를 사용하여 직선 가에 수직인 직선 나를 바르게 그은 것을 찾아 기호를 쓰세요.

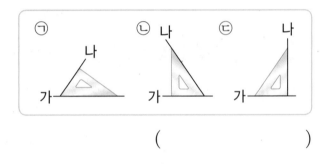

( )

5 각도기를 사용하여 주어진 직선에 대한 수선을 그어 보세요.

2 평행 알아보기

- 한 직선에 수직인 두 직선을 그었을 때, 그 두 직선은 서로 만나지 않습니다. 이와 같이 서로 만나지 않는 두 직선을 평행하다고 합니다.
- **평행선**: 평행한 두 직선

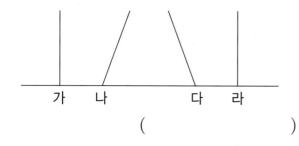

한 직선에 수직인 두 직선 ➡ 평행선

6 직선 가와 평행한 직선을 찾아 쓰세요.

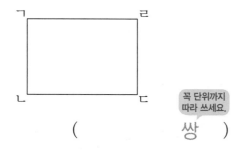

가　나　　　다　라

(　　　　　　　　)

7 직사각형에서 서로 평행한 변은 모두 몇 쌍일까요?

ㄱ　　　　　ㄹ

ㄴ　　　　　ㄷ

꼭 단위까지 따라 쓰세요.

(　　　　쌍　)

8 직선 가와 평행한 직선은 모두 몇 개 그을 수 있을까요?

가 ────────

(　　　　　　　　)

9 평행선에 대해 바르게 설명한 사람의 이름을 쓰세요.

> 민호: 두 직선이 만나서 이루는 각은 직각입니다.
> 성주: 한 직선에 수직인 두 직선과 같이 서로 만나지 않는 두 직선입니다.

(　　　　　　　　)

10 삼각자를 사용하여 주어진 직선과 평행한 직선을 그어 보세요.

(1)

(2)

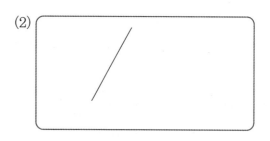

11 삼각자를 사용하여 점 ㅇ을 지나고 직선 가와 평행한 직선을 그어 보세요.

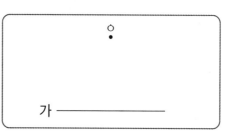

ㅇ

가 ────────

4

사각형

91

3 평행선 사이의 거리 알아보기

• **평행선 사이의 거리**: 평행선의 한 직선에서 다른 직선에 수선을 그었을 때 평행선에 수직인 선분의 길이

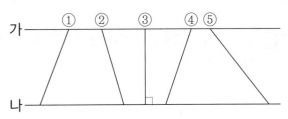

평행선 사이의 거리

12 직선 가와 직선 나는 서로 평행합니다. 물음에 답하세요.

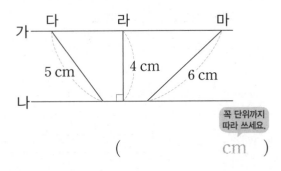

(1) 직선 가와 직선 나 위에 있는 두 점을 이은 선분 중 길이가 가장 짧은 선분을 찾아 쓰세요.

(   )

(2) (1)에서 찾은 선분과 두 직선 가, 나가 만나서 이루는 각의 크기는 몇 도일까요?

(   )

(3) 선분 ③과 같이 평행선 사이의 수선의 길이를 무엇이라고 할까요?

(   )

13 직선 가와 직선 나는 서로 평행합니다. 평행선 사이의 거리는 몇 cm일까요?

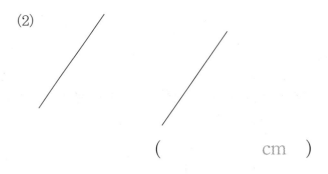

꼭 단위까지 따라 쓰세요.

(cm   )

14 도형에서 평행선 사이의 거리는 몇 cm일까요?

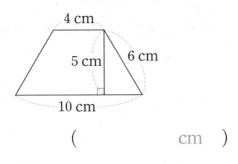

(cm   )

15 평행선 사이의 거리는 몇 cm인지 재어 보세요.

(1)

(cm   )

(2)

(cm   )

🔧 문제 해결

16 평행선 사이의 거리가 2 cm가 되도록 주어진 직선과 평행한 직선을 그어 보세요.

4
사각형

4

사각형

활용 1 수직인 변과 평행한 변 찾기

- 주어진 변과 수직인 변은 만나서 이루는 각이 직각인 변을 찾습니다.
- 주어진 변과 평행한 변은 서로 만나지 않는 변을 찾습니다.

1-1 도형에서 변 ㄱㄴ에 수직인 변과 평행한 변을 각각 모두 찾아 쓰세요.

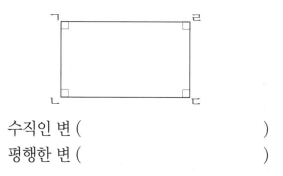

수직인 변 (   )
평행한 변 (   )

1-2 도형에서 변 ㄷㄹ에 수직인 변과 평행한 변을 각각 모두 찾아 쓰세요.

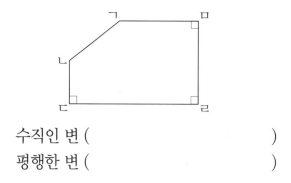

수직인 변 (   )
평행한 변 (   )

1-3 도형에서 변 ㄱㅂ에 수직인 변과 평행한 변을 각각 모두 찾아 쓰세요.

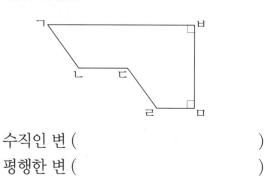

수직인 변 (   )
평행한 변 (   )

활용 2 수선을 이용하여 각도 구하기

한 직선이 다른 한 직선에 대한 수선일 때 두 직선이 이루는 각이 직각임을 이용하여 각도를 구합니다.

2-1 직선 ㄱㄷ은 직선 ㄷㅁ에 대한 수선입니다. 각 ㅁㄷㄹ의 크기는 몇 도일까요?

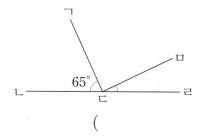

(   )

2-2 직선 ㄱㄷ은 직선 ㄷㅁ에 대한 수선입니다. 각 ㄱㄷㄴ의 크기는 몇 도일까요?

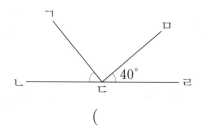

(   )

2-3 직선 ㄴㄹ은 직선 ㄱㄷ에 대한 수선입니다. 각 ㄱㄷㅁ의 크기는 몇 도일까요?

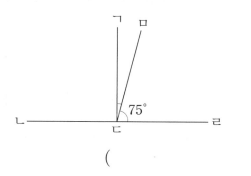

(   )

S 솔루션

1 서로 평행한 직선을 찾아 쓰세요.

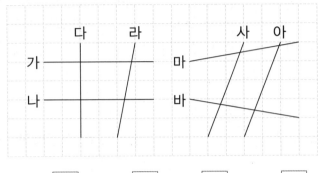

직선 [ ] 와 직선 [ ], 직선 [ ] 와 직선 [ ]

 서로 만나지 않는 두 직선을 찾아봐요.

2 네 나라 국기의 깃대 중에서 직선 가에 대한 수선인 것은 어느 나라 국기의 깃대일까요?

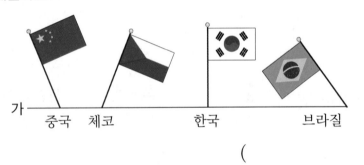

중국   체코   한국   브라질

(   )

3 점 ㄴ을 지나고 변 ㄱㄷ에 대한 수선을 그어 보세요.

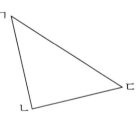

4 평행선을 찾아 평행선 사이의 거리를 재어 보세요.

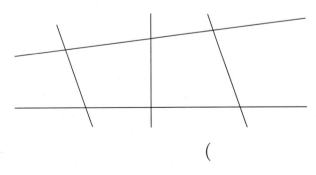

(   )

 평행선 사이의 거리는 평행선의 한 직선에서 다른 직선에 수선을 긋고, 그은 수선의 길이를 재면 돼요.

5 도형에서 변 ㄱㄴ과 평행한 변을 모두 찾아 쓰세요.

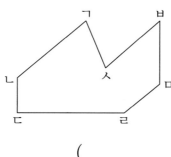

(   )

6 그림을 보고 물음에 답하세요.

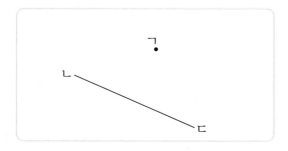

(1) 점 ㄱ을 지나고 직선 ㄴㄷ에 수직인 직선을 그어 보세요.
(2) 점 ㄱ을 지나고 직선 ㄴㄷ에 평행한 직선을 그어 보세요.

7 도형에서 평행선을 찾아 평행선 사이의 거리를 재어 보세요.

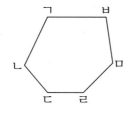

(   )

8 평행선이 가장 많은 도형을 찾아 기호를 쓰세요.

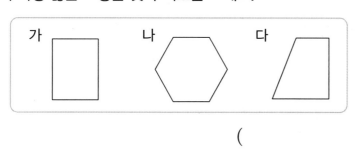

(   )

먼저 평행선을 찾아봐요.

4 사각형

95

9 오른쪽 도형의 점 ㄱ에서 각 변에 수선을 그으려고 합니다. 수선을 몇 개까지 그을 수 있을까요?

( )

10 주어진 두 선분을 사용하여 평행선이 두 쌍인 사각형을 그려 보세요.

(1)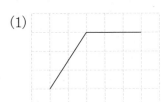

(2)

11 직선 가와 직선 나는 서로 수직입니다.
☐ 안에 알맞은 수를 써넣으세요.

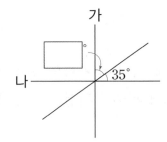

두 직선이 서로 수직으로 만날 때 두 직선이 만나서 이루는 각이 몇 도인지 생각해 봐요.

12 직선 가, 나, 다는 서로 평행합니다. 직선 가와 직선 다 사이의 거리는 몇 cm인지 구하세요.

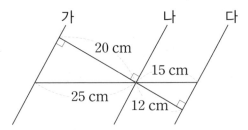

직선 가, 나, 다가 서로 평행하므로 직선 가와 직선 다 사이의 거리는 평행선 사이의 거리예요.

(1) 직선 **가**와 직선 **나** 사이의 거리와 직선 **나**와 직선 **다** 사이의 거리는 각각 몇 cm일까요?

직선 **가**와 직선 **나** 사이의 거리 ( )

직선 **나**와 직선 **다** 사이의 거리 ( )

(2) 직선 **가**와 직선 **다** 사이의 거리는 몇 cm일까요?

( )

4
사각형

 기본 유형 연습

4 사다리꼴 알아보기

· 사다리꼴: 평행한 변이 한 쌍이라도 있는 사각형

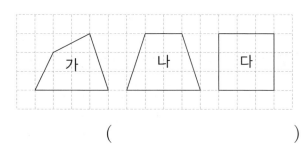

1 사다리꼴을 모두 찾아 기호를 쓰세요.

( )

2 오른쪽 사각형 ㄱㄴㄷㄹ은 사다리꼴입니다. 서로 평행한 변을 찾아 쓰세요.

( )과 ( )

3 사다리꼴을 완성하세요.

4 직사각형 모양의 종이띠를 선을 따라 잘랐을 때 사다리꼴을 모두 찾아 기호를 쓰세요.

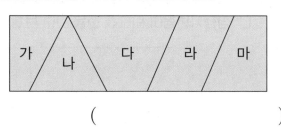

( )

5 다음 도형에 대해 바르게 말한 사람의 이름을 쓰세요.

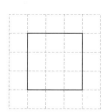

 이 사각형은 평행한 변이 2쌍이니까 사다리꼴이 아니야.
현서

 이 사각형은 평행한 변이 있으니까 사다리꼴이야.
서아

( )

6 사다리꼴을 1개 그려 보세요.

📝 서술형

7 오른쪽 도형은 사다리꼴입니다. 그 까닭을 쓰세요.

까닭 _____

_____

5 평행사변형 알아보기

- 평행사변형: 마주 보는 두 쌍의 변이 서로 평행한 사각형

8 평행사변형을 모두 찾아 기호를 쓰세요.

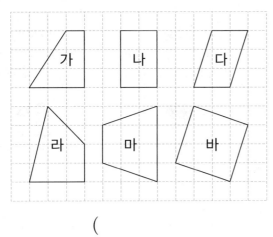

(   )

9 평행사변형에 대한 설명으로 잘못된 것을 찾아 기호를 쓰세요.

> ㉠ 마주 보는 두 각의 크기가 같습니다.
> ㉡ 평행한 변이 한 쌍만 있습니다.
> ㉢ 마주 보는 두 변의 길이가 같습니다.

(   )

10 사각형 ㄱㄴㄷㄹ은 평행사변형입니다. □ 안에 알맞은 수를 써넣으세요.

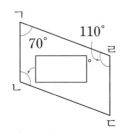

11 도형은 평행사변형입니다. □ 안에 알맞은 수를 써넣으세요.

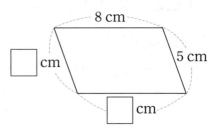

12 서로 다른 평행사변형을 2개 그려 보세요.

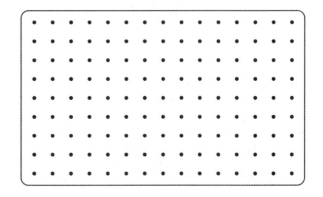

13 평행사변형에서 ㉠과 ㉡의 각도의 합은 몇 도일까요?

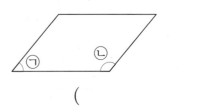

(   )

🔴 융합형

14 사다리꼴을 잘라서 평행사변형을 만들려고 합니다. 평행사변형이 되도록 선을 그어 보세요.

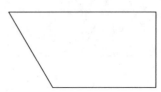

6 마름모 알아보기

· **마름모**: 네 변의 길이가 모두 같은 사각형

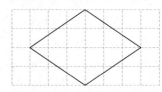

15 마름모를 모두 찾아 기호를 쓰세요.

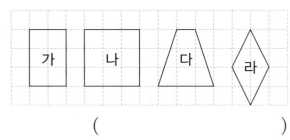

(   )

16 마름모를 완성하세요.

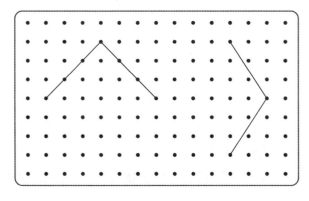

17 사각형 ㄱㄴㄷㄹ은 마름모입니다. □ 안에 알맞은 수를 써넣으세요.

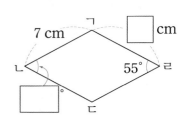

18 도형은 마름모입니다. 마름모의 네 변의 길이의 합은 몇 cm일까요?

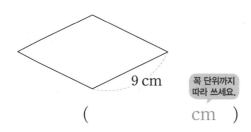

9 cm

꼭 단위까지 따라 쓰세요.

(cm   )

19 도형은 마름모입니다. ㉠의 각도는 몇 도일까요?

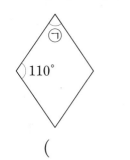

110°

(   )

🔵 융합형

20 꼭짓점 1개를 옮겨 마름모를 그려 보세요.

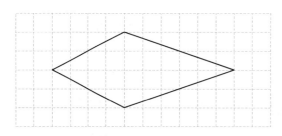

21 오른쪽과 같이 똑같은 이등변삼각형 2개를 이어 붙여 만든 도형의 이름을 찾아 기호를 쓰세요.

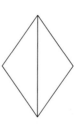

㉠ 정삼각형	㉡ 직각삼각형
㉢ 마름모	㉣ 직사각형

(   )

4

사각형

99

7 여러 가지 사각형 알아보기

(1) 직사각형의 성질

· 마주 보는 두 변의 길이가 **같습니다.**

· **네 각이 모두 직각**입니다.

(2) 정사각형의 성질

· **네 변의 길이가 모두 같습니다.**

· **네 각이 모두 직각**입니다.

22 도형을 보고 물음에 답하세요.

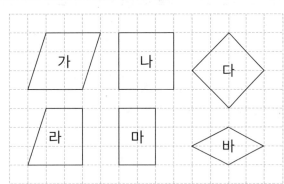

(1) 직사각형을 모두 찾아 기호를 쓰세요.

( )

(2) 정사각형을 모두 찾아 기호를 쓰세요.

( )

23 직사각형입니다. □ 안에 알맞은 수를 써넣으세요.

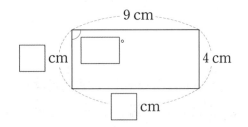

24 오른쪽 정사각형의 네 변의 길이의 합은 몇 cm일까요?

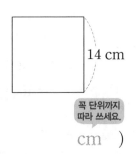

14 cm

꼭 단위까지 따라 쓰세요.

(cm)

25 도형을 보고 물음에 답하세요.

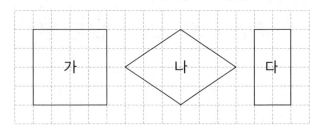

(1) 사다리꼴은 어느 것일까요?

( )

(2) 평행사변형은 어느 것일까요?

( )

(3) 마름모는 어느 것일까요?

( )

(4) 직사각형은 어느 것일까요?

( )

(5) 정사각형은 어느 것일까요?

( )

✏️ 서술형

26 도형을 보고 알맞은 말에 ○표 하고, 그 까닭을 쓰세요.

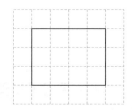

정사각형이라고 할 수 (있습니다 , 없습니다).

까닭 _____

_____

4

사각형

활용 3 평행사변형의 성질을 이용한 각도 구하기

평행사변형에서 마주 보는 두 각의 크기가 같다는 성질을 이용하여 각도를 구합니다.

3-1 사각형 ㄱㄴㄷㄹ은 평행사변형입니다. ㉠의 각도를 구하세요.

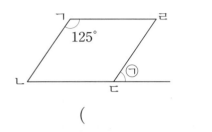

( )

3-2 사각형 ㄱㄴㄷㄹ은 평행사변형입니다. ㉠의 각도를 구하세요.

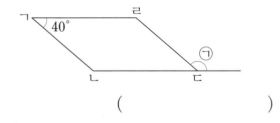

( )

3-3 사각형 ㄱㄴㄷㄹ은 평행사변형입니다. ㉠의 각도를 구하세요.

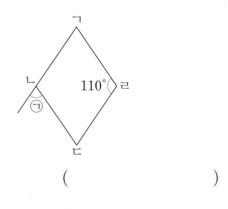

( )

활용 4 정사각형의 한 변의 길이 구하기

직사각형의 네 변의 길이의 합을 구한 후 이를 이용하여 정사각형의 한 변의 길이를 구합니다.

4-1 직사각형과 정사각형의 네 변의 길이의 합이 같습니다. 정사각형의 한 변의 길이는 몇 cm일까요?

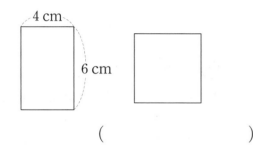

( )

4-2 직사각형과 정사각형의 네 변의 길이의 합이 같습니다. 정사각형의 한 변의 길이는 몇 cm일까요?

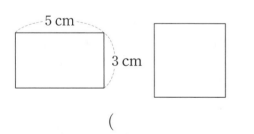

( )

4-3 가로가 9 cm, 세로가 5 cm인 직사각형과 네 변의 길이의 합이 같은 정사각형이 있습니다. 이 정사각형의 한 변의 길이는 몇 cm일까요?

( )

사각형

1 마름모를 보고 □ 안에 알맞은 수를 써넣으세요.

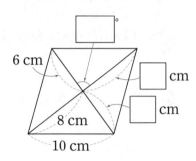

S 솔루션

마름모는 마주 보는 꼭짓점끼리 이은 선분이 서로 수직으로 만나고 길이가 같게 나누어져요.

⚡ 추론력

2 직사각형 모양의 종이띠를 선을 따라 잘랐습니다. 물음에 답하세요.

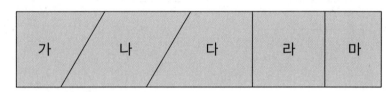

(1) 사다리꼴을 모두 찾아 기호를 쓰세요.

( )

(2) 평행사변형을 모두 찾아 기호를 쓰세요.

( )

(3) 마름모를 모두 찾아 기호를 쓰세요.

( )

🔵 융합형

3 점 종이에서 한 꼭짓점만 옮겨서 주어진 도형을 만들어 보세요.

(1) 사다리꼴

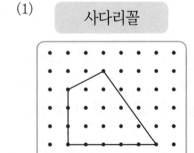

(2) 평행사변형

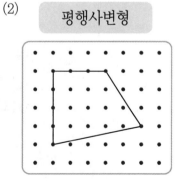

4 다음과 같이 색종이를 반으로 접어서 자른 후 빗금 친 부분을 펼쳤을 때 만들어지는 사각형의 이름을 쓰세요.

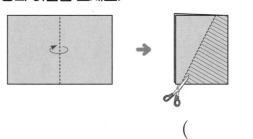

(   )

5 오른쪽 사각형 ㄱㄴㄷㄹ은 평행사변형 입니다. 각 ㄱㄹㄷ의 크기는 몇 도일까 요?

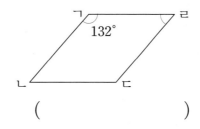

(   )

6 길이가 124 cm인 철사를 겹치지 않게 모두 사용하여 마름모를 한 개 만 들었습니다. 만든 마름모의 한 변의 길이는 몇 cm일까요?

(   )

> 마름모는 네 변의 길이가 모두 같아요.

103

7 오른쪽 그림에서 찾을 수 있는 크고 작은 사다리꼴 은 모두 몇 개인지 구하세요.

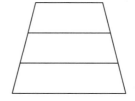

(1) 사각형 1개, 2개, 3개로 이루어진 사다리꼴 은 각각 몇 개일까요?

1개짜리 (   ), 2개짜리 (   ), 3개짜리 (   )

(2) 크고 작은 사다리꼴은 모두 몇 개일까요?

(   )

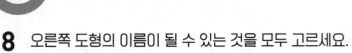
8 오른쪽 도형의 이름이 될 수 있는 것을 모두 고르세요.
·· (   )

① 사다리꼴   ② 정사각형

③ 마름모   ④ 평행사변형

⑤ 직사각형

서술형

9 오른쪽 도형은 정사각형이 아닙니다. 그 까닭을 쓰세요.

까닭 _____

_____

10 세 사람이 말하는 조건을 모두 만족하는 도형의 이름을 쓰세요.

마주 보는 두 쌍의 변이 서로 평행한 사각형이야.

네 변의 길이가 모두 같은 사각형이야.

네 각의 크기가 모두 같은 사각형이야.

(   )

11 오른쪽 평행사변형 ㄱㄴㄷㄹ의 네 변의 길이의 합은 64 cm입니다. 변 ㄹㄷ의 길이는 몇 cm일까요?

20 cm

(   )

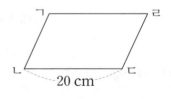

평행사변형은 마주 보는 두 변의 길이가 같아요.

4

사각형

104

⚡ 추론력

12 주어진 막대 4개로 만들 수 있는 사각형의 이름을 모두 쓰세요.

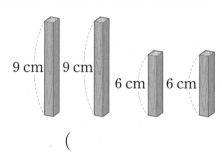

( )

S 솔루션

길이가 같은 막대가 2개씩 있어요.

13 오른쪽은 철사를 구부려서 만든 이등변삼각형입니다. 이 철사를 편 다음 남김없이 겹치지 않게 사용하여 마름모를 1개 만들려고 합니다. 마름모의 한 변의 길이는 몇 cm가 될까요?

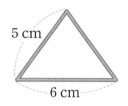

( )

14 오른쪽 도형은 정삼각형 ㄱㄴㅁ과 평행사변형 ㄴㄷㄹㅁ을 겹치지 않게 이어 붙여 만든 것입니다. 각 ㄱㄴㄷ의 크기는 몇 도일까요?

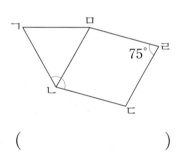

( )

정삼각형은 세 각이 60°로 모두 같고, 평행사변형은 마주 보는 두 각의 크기가 같아요.

105

4

사각형

15 오른쪽은 사다리꼴 ㄱㄴㄷㄹ 안에 선분 ㄹㄷ과 평행한 선분 ㄱㅁ을 그은 것입니다. 삼각형 ㄱㄴㅁ의 세 변의 길이의 합은 몇 cm인지 구하세요.

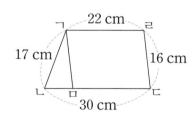

(1) 선분 ㄱㅁ과 선분 ㄴㅁ의 길이는 각각 몇 cm일까요?

선분 ㄱㅁ ( ), 선분 ㄴㅁ ( )

(2) 삼각형 ㄱㄴㅁ의 세 변의 길이의 합은 몇 cm일까요?

( )

심화 **1**

수선과 평행선이 있는 글자 찾기

수선과 평행선이 모두 있는 글자를 찾아 쓰세요.

ㅁ ㅈ ㄱ

해결 **순서** **1** 수선이 있는 글자를 모두 찾아 쓰세요.

( )

해결 **순서** **2** 평행선이 있는 글자를 찾아 쓰세요.

( )

해결 **순서** **3** 수선과 평행선이 모두 있는 글자를 찾아 쓰세요.

( )

1-1 수선과 평행선이 모두 있는 글자를 찾아 쓰세요.

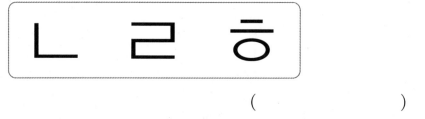

( )

1-2 수선과 평행선이 모두 있는 알파벳은 몇 개일까요?

( )

심화 2

도형에서 평행선 사이의 거리 구하기

오른쪽 도형에서 평행선 사이의 거리는 몇 cm일까요?

해결 **순서** **1**   각 ㄱㄷㄹ은 몇 도일까요?

(   )

해결 **순서** **2**   삼각형 ㄱㄷㄹ은 어떤 삼각형인지 □ 안에 알맞은 말을 써넣으세요.

삼각형 ㄱㄷㄹ은 두 [ ] 의 크기가 같으므로 [   ] 삼각형입니다.

해결 **순서** **3**   도형에서 평행선 사이의 거리는 몇 cm일까요?

(   )

4

사각형

2-1   오른쪽 도형에서 평행선 사이의 거리는 몇 cm일까요?

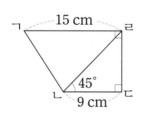

(   )

107

2-2   오른쪽 도형에서 평행선 사이의 거리는 몇 cm일까요?

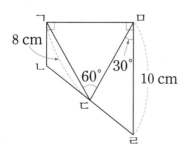

(   )

심화 3

이어 붙인 도형에서 변의 길이의 합 구하기

다음은 마름모 ㄱㄴㄷㄹ과 평행사변형 ㄱㄹㅁㅂ을 이어 붙여 만든 도형입니다. 초록색 선의 길이는 몇 cm일까요?

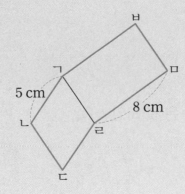

해결 순서 **1** 변 ㅂㅁ의 길이는 몇 cm일까요?

(   )

해결 순서 **2** 초록색 선의 길이는 몇 cm일까요?

(   )

3-1 다음은 정사각형 ㄱㄴㄷㅂ과 평행사변형 ㅂㄷㄹㅁ을 이어 붙여 만든 도형입니다. 초록색 선의 길이는 몇 cm일까요?

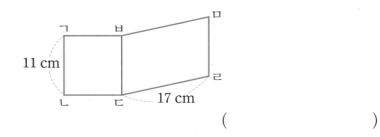

(   )

3-2 다음은 직사각형 ㄱㄴㄷㅂ과 마름모 ㅂㄷㄹㅁ을 이어 붙여 만든 도형입니다. 초록색 선의 길이는 몇 cm일까요?

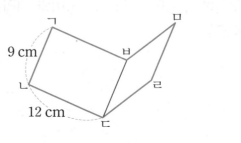

(   )

4

사각형

심화 4
사각형에서 각의 크기 구하기

오른쪽 사각형 ㄱㄴㄷㄹ은 마름모입니다. 각 ㄱㄴㄹ의 크기는 몇 도일까요?

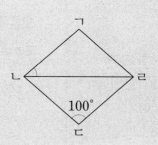

해결 **순서 1** 각 ㄴㄱㄹ의 크기는 몇 도일까요?

(   )

해결 **순서 2** 변의 길이에 따라 분류할 때 삼각형 ㄱㄴㄹ은 어떤 삼각형인지 쓰세요.

(   )

해결 **순서 3** 각 ㄱㄴㄹ의 크기는 몇 도일까요?

(   )

4 사각형

4-1 오른쪽 사각형 ㄱㄴㄷㄹ은 마름모입니다. 각 ㄱㄴㄹ의 크기는 몇 도일까요?

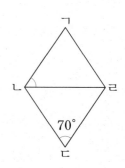

(   )

4-2 오른쪽 사각형 ㄱㄴㄷㄹ은 마름모입니다. 각 ㄱㄴㄷ의 크기는 몇 도일까요?

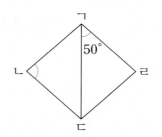

(   )

심화 **5**

크고 작은
사각형의 수
구하기

오른쪽 그림에서 찾을 수 있는 크고 작은 평행사변형은 모두 몇 개
일까요?

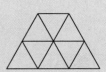

해결 순서 **1** 작은 삼각형 2개짜리 평행사변형은 몇 개일까요?

(   )

해결 순서 **2** 작은 삼각형 4개짜리 평행사변형은 몇 개일까요?

(   )

해결 순서 **3** 그림에서 찾을 수 있는 크고 작은 평행사변형은 모두 몇 개일까요?

(   )

4

사
각
형

5-1 오른쪽 그림에서 찾을 수 있는 크고 작은 평행사변형은 모두 몇
개일까요?

(   )

5-2 오른쪽 그림에서 찾을 수 있는 크고 작은 마름모는 모두
몇 개일까요?

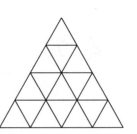

(   )

심화 6

수선과 평행선을 이용하여 각도 구하기

직선 가와 직선 나는 서로 평행합니다. 각 ㄱㄴㄷ의 크기는 몇 도일까요?

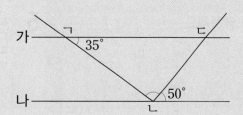

해결 순서 **1** 점 ㄱ을 지나고 직선 나에 수직인 선분을 긋고, 그 선분이 직선 나와 만나는 점 ㄹ을 표시하세요.

해결 순서 **2** 각 ㄹㄱㄴ과 각 ㄱㄴㄹ의 크기는 각각 몇 도일까요?

각 ㄹㄱㄴ (   ), 각 ㄱㄴㄹ (   )

해결 순서 **3** 각 ㄱㄴㄷ의 크기는 몇 도일까요?

(   )

4

사각형

6-1 직선 가와 직선 나는 서로 평행합니다. 각 ㄱㄴㄷ의 크기는 몇 도일까요?

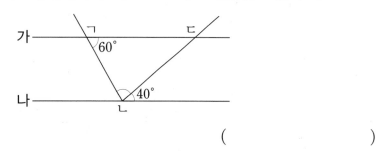

(   )

6-2 직선 가와 직선 나는 서로 평행합니다. 각 ㄱㄴㄷ의 크기는 몇 도일까요?

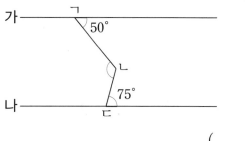

(   )

111

[1~2] 그림을 보고 물음에 답하세요.

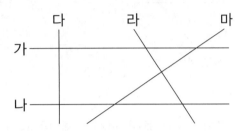

1 직선 가에 수직인 직선을 찾아 쓰세요.

( )

2 직선 가와 평행한 직선을 찾아 쓰세요.

( )

3 도형에서 서로 평행한 변은 모두 몇 쌍일까요?

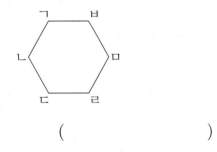

( )

4 평행사변형을 보고 □ 안에 알맞은 수를 써넣으세요.

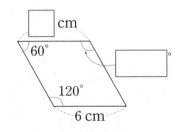

5 사다리꼴을 완성하려면 어느 점과 연결해야 하는지 기호를 쓰세요.

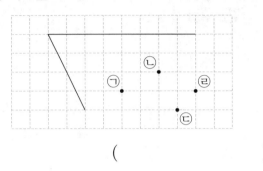

( )

6 점 종이에 주어진 선분과 평행한 선분을 각각 그어 보세요.

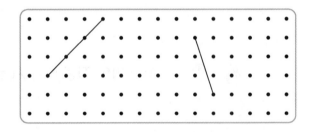

7 평행선 사이의 거리를 나타낸 선분을 찾아 기호를 쓰고, 평행선 사이의 거리를 재어 보세요.

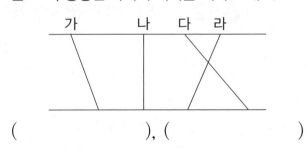

( ), ( )

8 마름모를 모두 찾아 기호를 쓰세요.

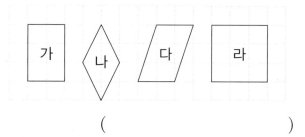

(   )

9 도형에서 평행선 사이의 거리는 몇 cm일까요?

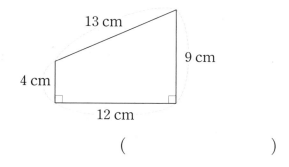

(   )

 서술형

10 오른쪽 도형은 마름모인지 아닌
지 쓰고, 그렇게 생각한 까닭을
쓰세요.

답

까닭

11 오른쪽 도형에서 꼭짓점 ㄱ
을 지나는 변 ㄴㄷ에 대한
수선을 그어 보세요.

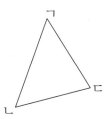

12 수선도 있고 평행선도 있는 도형을 찾아 기호를
쓰세요.

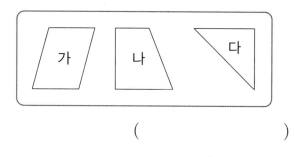

(   )

13 도형의 이름이 될 수 있는 것을 모두 고르세요.
·························· (   )

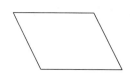

① 사다리꼴   ② 직사각형
③ 정사각형   ④ 평행사변형
⑤ 마름모

14 직사각형 모양의 종이를 선을 따라 모두 자르
면 평행사변형은 몇 개일까요?

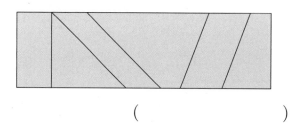

(   )

4 사각형

113

15 사다리꼴 ㄱㄴㄷㄹ에서 변 ㄱㄴ과 평행한 선분 ㄹㅁ을 그었습니다. 선분 ㅁㄷ의 길이는 몇 cm일까요?

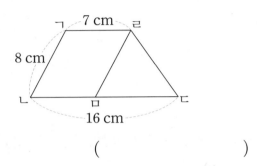

(   )

16 사각형에 대한 설명이 <u>잘못된</u> 것을 찾아 기호를 쓰세요.

> ㉠ 네 변의 길이가 모두 같으면 정사각형입니다.
> ㉡ 직사각형은 사다리꼴입니다.
> ㉢ 마름모는 마주 보는 꼭짓점끼리 이은 선분이 서로 수직으로 만납니다.

(   )

17 사각형 ㄱㄴㄷㄹ은 마름모입니다. 각 ㄱㄴㄷ의 크기는 몇 도일까요?

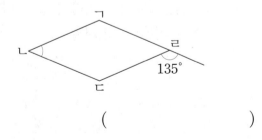

(   )

18 변 ㄱㅂ과 변 ㄴㄷ은 서로 평행합니다. 이 평행선 사이의 거리는 몇 cm일까요?

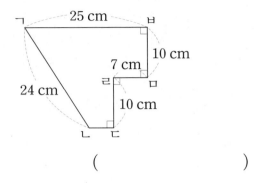

(   )

서술형

19 직선 가와 직선 나는 서로 수직입니다. ㉠의 각도를 구하는 풀이 과정을 쓰고 답을 구하세요.

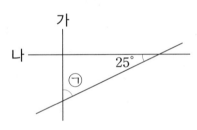

풀이

답

20 길이가 70 cm인 철사를 사용하여 한 변의 길이가 13 cm인 정사각형을 만들었습니다. 사용하고 남은 철사는 몇 cm일까요?

(   )

4 사각형

21 평행사변형 ㄱㄴㄷㄹ의 네 변의 길이의 합은 58 cm입니다. 변 ㄴㄷ의 길이는 몇 cm인지 풀이 과정을 쓰고 답을 구하세요.

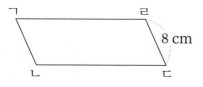

풀이 _____

_____

_____

_____

답 _____

22 직선 가는 직선 나에 대한 수선입니다. ㉠과 ㉡의 각도의 차를 구하세요.

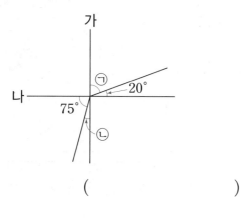

(   )

23 다음은 마름모, 정삼각형, 정사각형을 겹치지 않게 이어 붙여 만든 도형입니다. 초록색 선의 길이는 몇 cm일까요?

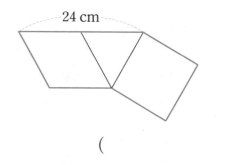

(   )

24 사각형 ㄱㄴㄷㄹ은 사다리꼴입니다. 도형에서 찾을 수 있는 크고 작은 사다리꼴은 모두 몇 개일까요? (단, 선분 ㄱㄹ과 선분 ㅁㅅ은 평행합니다.)

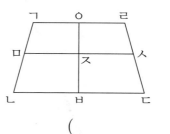

(   )

25 정사각형 ㄱㄴㄷㄹ과 마름모 ㄹㄷㅁㅂ을 겹치지 않게 이어 붙여 만든 도형에 선분 ㄱㅂ을 그은 것입니다. 각 ㄹㅂㄱ의 크기는 몇 도일까요?

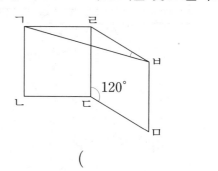

(   )

5 꺾은선그래프

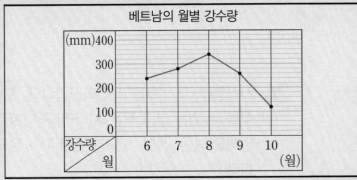

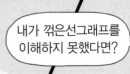

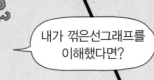

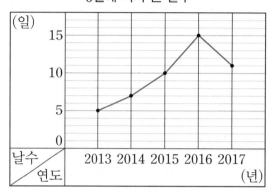

개념 1 꺾은선그래프 알아보기

1. 꺾은선그래프: 연속적으로 변화하는 양을 점으로 표시하고, 그 점들을 선분으로 이어 그린 그래프

2. 막대그래프와 꺾은선그래프 비교하기

세연이의 몸무게   세연이의 몸무게

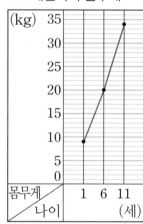

같은 점	• 세연이의 나이별 몸무게를 나타냈습니다. • 가로에는 나이를, 세로에는 몸무게를 나타냈습니다. • 세로 눈금 한 칸의 크기가 같습니다.
다른 점	막대그래프는 막대로 나타내고, 꺾은선그래프는 선분으로 나타냈습니다.

• 막대그래프는 막대의 길이를 비교해서 자료의 크기를 한눈에 알아보기 편리합니다.

• 꺾은선그래프는 자료의 변화를 한눈에 알아보기 쉽습니다.

참고 ▶ 키, 몸무게, 기온 등 시간에 따라 변화하는 양을 나타낼 때에는 꺾은선그래프로 나타내는 것이 좋습니다.

개념 2 꺾은선그래프에서 알 수 있는 내용

1. 꺾은선그래프를 보고 내용 알아보기

6월에 비가 온 날수

(1) 6월에 비가 온 날수가 2016년까지 늘어나다가 갑자기 줄었습니다.

(2) 6월에 비가 온 날수가 가장 많은 때는 2016년입니다.

(3) 6월에 비가 온 날수가 가장 적은 때는 2013년입니다.

(4) 전년과 비교하여 6월에 비가 온 날수가 가장 많이 늘어난 때는 2016년입니다.
└▶ 선이 오른쪽으로 가장 많이 올라간 때

선이 오른쪽으로 올라가면 늘어난 것이고 오른쪽으로 내려가면 줄어든 거야.

참고 ▶ 꺾은선그래프에서 선이 많이 기울어질수록 변화가 큽니다.

ㄱ   ㄴ   ㄷ

• 변화가 가장 큰 것은 ㄱ입니다.
• ㄷ은 변화가 없습니다.

주의 ▶ 꺾은선그래프에서 변화가 가장 큰 때는 선이 오른쪽으로 올라가거나 내려가는 것에 상관없이 선이 가장 많이 기울어진 때를 찾아야 합니다.

2. 꺾은선그래프에서 물결선의 필요성 알아보기

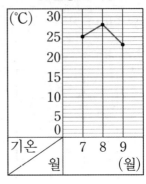
⑦ 월평균 기온

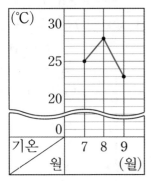
④ 월평균 기온

(1) 두 그래프 ⑦와 ④는 같은 자료를 조사하여 나타낸 꺾은선그래프입니다. └→7월부터 9월까지 월평균 기온

(2) 두 그래프 ⑦와 ④의 세로 눈금 한 칸의 크기는 1℃로 같습니다.

(3) ⑦ 그래프는 세로 눈금이 0부터 시작하고, ④ 그래프는 물결선이 있고 물결선 위로 20부터 시작합니다.

≈은 물결선이라고 해.

가장 작은 값이 23이기 때문에 20부터 시작해서 세로 눈금 한 칸이 넓어졌어.

(4) ④ 그래프가 ⑦ 그래프보다 **변화하는 모습이 잘 나타납니다.**

④ 그래프가 필요 없는 부분을 물결선으로 줄여서 나타냈기 때문이야.

참고 꺾은선그래프에서 필요 없는 부분을 물결선(≈)을 사용하여 줄여서 나타내면 변화하는 모습을 더 뚜렷하게 알 수 있습니다.

개념 3 꺾은선그래프로 나타내기

[꺾은선그래프로 나타내는 방법]
① 가로와 세로에 나타낼 것 정하기
② 세로 눈금 한 칸의 크기를 정하기
③ 가로 눈금과 세로 눈금이 만나는 자리에 점 찍기
④ 점들을 선분으로 잇기
⑤ 꺾은선그래프에 알맞은 제목 붙이기

1. 꺾은선그래프로 나타내기

예   최저 기온

날짜(일)	7	14	21	28
기온(℃)	8	5	7	10

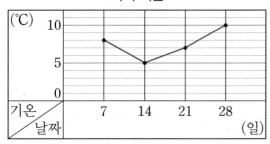
최저 기온

2. 물결선을 이용하여 꺾은선그래프로 나타내기

예   동생의 키

나이(개월)	1	2	3	4	5
키(cm)	53	55	58	60	61

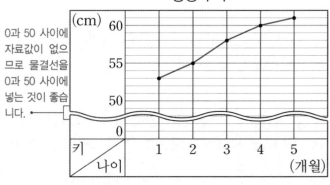
동생의 키

0과 50 사이에 자료값이 없으므로 물결선을 0과 50 사이에 넣는 것이 좋습니다.

개념 4 자료를 조사하여 꺾은선그래프로 나타내기

[자료를 조사하여 꺾은선그래프로 나타내는 방법]
① 조사할 내용, 조사 방법, 조사할 대상, 일정 등 정하기
② **자료를 조사**하고 내용에 맞게 분류하기
③ 조사한 자료를 **표로 나타내기**
④ 표를 보고 **꺾은선그래프로 나타내기**

예 동훈이가 4일 동안 제기차기를 한 개수를 조사하였습니다.

> 월요일: 9개
> 화요일: 7개
> 수요일: 12개
> 목요일: 20개

(1) 조사한 결과를 표로 나타내기

제기차기를 한 개수

요일	월	화	수	목
개수(개)	9	7	12	20

(2) 표를 보고 꺾은선그래프로 나타내기

제기차기를 한 개수

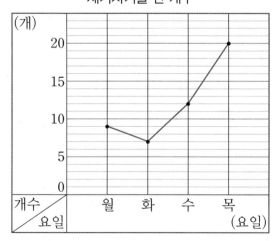

조사하여 나타낸 꺾은선그래프를 보면 동훈이가 제기차기를 한 개수가 화요일에 가장 적었다가 그 후로 계속 늘어났어.

개념 5 꺾은선그래프가 어디에 쓰이는지 알아보기

1. 기록을 보고 꺾은선그래프로 나타내기

나는 학교 100 m 달리기 대표 선수로 활동하게 되었다. 달리기 연습 기록을 정리하여 표로 나타냈다.

100 m 달리기 연습 기록

연습	1차	2차	3차	4차
기록(초)	11.8	11.4	10.8	10.6

100 m 달리기 연습 기록

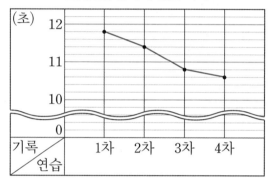

(1) 이 선수의 기록은 점점 좋아지고 있습니다.
(2) 전 연습에 비해 기록이 가장 많이 좋아진 때는 3차 연습입니다.

2. 두 꺾은선그래프를 비교하여 내용 알아보기

주희의 국어 점수   주희의 수학 점수

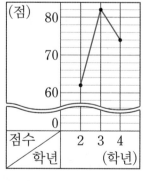
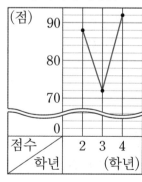

(1) 학년별 국어 점수의 변화를 살펴보면 60점과 84점 사이에 있습니다.
(2) 학년별 수학 점수의 변화를 살펴보면 2학년 때 비해 3학년 때 점수가 떨어졌다가 4학년 때 높아졌습니다.

1 꺾은선그래프 알아보기

• 꺾은선그래프: 연속적으로 변화하는 양을 점으로 표시하고, 그 점들을 선분으로 이어 그린 그래프

[1~4] 어느 지역의 연도별 적설량을 조사하여 나타낸 그래프입니다. 물음에 답하세요.

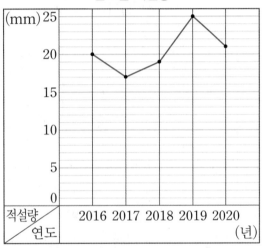

연도별 적설량

1 위와 같은 그래프를 무슨 그래프라고 할까요?

( )

2 꺾은선그래프의 가로와 세로는 각각 무엇을 나타낼까요?

가로 ( )

세로 ( )

3 세로 눈금 한 칸은 몇 mm를 나타낼까요?

 꼭 단위까지 따라 쓰세요.

(mm)

4 꺾은선은 무엇을 나타낼까요?

( )

[5~7] 우진이의 방의 온도를 조사하여 나타낸 막대그래프와 꺾은선그래프입니다. 물음에 답하세요.

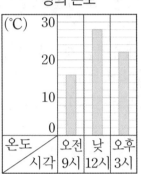
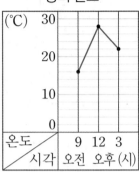

방의 온도   방의 온도

5 세로 눈금 한 칸은 몇 ℃를 나타낼까요?

(℃)

6 온도의 변화를 한눈에 알아보기 쉬운 그래프는 어느 것일까요?

( )

7 막대그래프와 꺾은선그래프에 대해 잘못 말한 사람은 누구일까요?

막대그래프와 꺾은선그래프의 세로 눈금 한 칸의 크기가 같아.
은우

막대그래프와 꺾은선그래프에서 세로가 나타내는 것이 서로 달라.
서준

막대그래프는 막대로, 꺾은선그래프는 선분으로 나타냈어.
민재

( )

[8~10] 인성이와 혜영이의 나이별 키를 조사하여 나타낸 꺾은선그래프입니다. 물음에 답하세요.

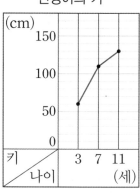
인성이의 키

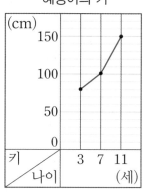
혜영이의 키

8 두 그래프의 같은 점을 쓰세요.

_____

_____

9 7세 때의 키는 각각 몇 cm인지 구하세요.

> 꼭 단위까지 따라 쓰세요.

인성 (cm   )

혜영 (cm   )

10 11세 때의 키가 더 큰 사람은 누구일까요?

(   )

2 ### 꺾은선그래프에서 알 수 있는 내용

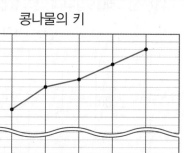
콩나물의 키

전날에 비해 콩나물의 키가 가장 많이 자란 요일은 화요일입니다.

[11~12] 서영이가 살고 있는 지역의 맑은 날수를 조사하여 나타낸 꺾은선그래프입니다. 물음에 답하세요.

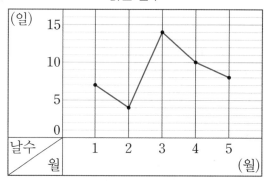
맑은 날수

11 꺾은선그래프의 가로와 세로는 각각 무엇을 나타낼까요?

가로 (   )

세로 (   )

12 맑은 날수가 가장 많은 때는 몇 월일까요?

(월   )

[13~16] 민혁이의 줄넘기 횟수를 조사하여 나타낸 꺾은선그래프입니다. 물음에 답하세요.

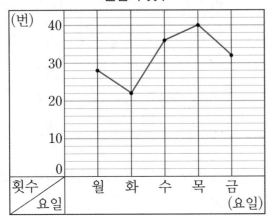

줄넘기 횟수

13 줄넘기 횟수가 가장 적은 때는 무슨 요일일까요?

(   )

14 줄넘기 횟수가 전날에 비해 가장 많이 늘어난 때는 무슨 요일일까요?

(   )

15 줄넘기 횟수가 전날에 비해 가장 많이 줄어든 때는 무슨 요일일까요?

(   )

16 물결선을 넣는다면 물결선 위에 시작하는 세로 눈금을 얼마로 하면 좋을까요?

(   )

17 희주의 체온을 조사하여 두 꺾은선그래프로 나타내었습니다. 그래프 ㉮와 ㉯ 중에서 희주의 체온을 읽기 더 편한 것의 기호를 쓰세요.

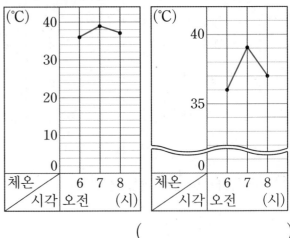

㉮ 희주의 체온   ㉯ 희주의 체온

(   )

[18~19] 정윤이의 몸무게를 조사하여 나타낸 꺾은선그래프입니다. 물음에 답하세요.

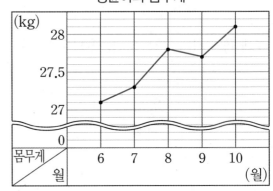

정윤이의 몸무게

18 10월은 8월보다 몸무게가 몇 kg 더 늘었을까요?

꼭 단위까지 따라 쓰세요.

(kg   )

19 전월과 비교하여 몸무게가 가장 많이 변화한 때는 몇 월일까요?

(   )

5

꺾은선그래프

3 꺾은선그래프로 나타내기

• 꺾은선그래프로 나타내는 방법

① **가로와 세로에 나타낼 것** 정하기
② **세로 눈금 한 칸의 크기**를 정하기
③ 가로 눈금과 세로 눈금이 만나는 자리에 **점 찍기**
④ **점들을 선분으로 잇기**
⑤ 꺾은선그래프에 **알맞은 제목 붙이기**

[20~22] 민수가 강낭콩의 키를 매일 조사하여 나타낸 표를 보고 꺾은선그래프로 나타내려고 합니다. 물음에 답하세요.

강낭콩의 키

날짜(일)	9	10	11	12	13
키(cm)	3	4	5	7	10

20 가로에 날짜를 나타낸다면 세로에는 무엇을 나타내야 할까요?

(   )

21 세로 눈금 한 칸을 몇 cm로 하면 좋을까요?

꼭 단위까지 따라 쓰세요.

(cm   )

22 표를 보고 꺾은선그래프로 나타내세요.

강낭콩의 키

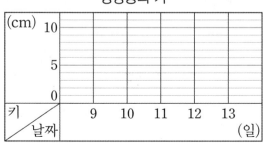

[23~26] 은지가 5일 동안 오후 2시에 어항의 온도를 재어 나타낸 표를 보고 꺾은선그래프로 나타내려고 합니다. 물음에 답하세요.

어항의 온도

날짜(일)	5	6	7	8	9
온도(℃)	14.4	14.5	14	14.2	14.6

23 세로 눈금 한 칸은 몇 ℃로 나타내어야 할까요?

(℃   )

24 세로 눈금은 몇 ℃에서 시작하면 좋을까요?

(℃   )

25 표를 보고 꺾은선그래프로 나타내세요.

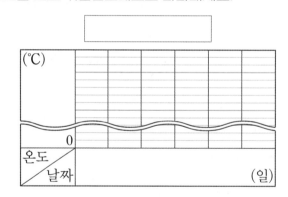

📝 서술형

26 어항의 온도가 가장 많이 변한 때는 며칠과 며칠 사이인지 쓰고, 그 까닭을 쓰세요.

(   )

까닭 _____

_____

5

꺾은선그래프

123

4 자료를 조사하여 꺾은선그래프로 나타내기

• 자료를 조사하여 꺾은선그래프로 나타내는 방법
① 조사할 내용, 조사 방법 등 정하기
② **자료를 조사**하고 내용에 맞게 분류하기
③ 조사한 자료를 **표로 나타내기**
④ 표를 보고 **꺾은선그래프로 나타내기**

[27~28] 하준이가 시간대별 컵 속에 남아 있는 물의 양을 조사하였습니다. 물음에 답하세요.

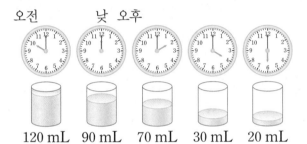

오전 / 낮 오후

120 mL   90 mL   70 mL   30 mL   20 mL

27 조사한 결과를 표로 나타내세요.

컵 속에 남아 있는 물의 양

시각	오전 10시	낮 12시	오후 2시	오후 4시	오후 6시
물의 양(mL)					

28 꺾은선그래프로 나타내세요.

5 꺾은선그래프가 어디에 쓰이는지 알아보기

우리 주변에서 선수의 기록, 어느 지역의 기온, 두 자료의 비교 등에 꺾은선그래프를 이용합니다.

[29~30] 형준이가 쓴 글을 보고 물음에 답하세요.

나는 학교 50 m 자유형 수영 대표 선수로 활동하게 되었다. 다른 선수들의 50 m 자유형 수영 기록이 궁금해서 어느 한 선수가 한 해 동안 50 m 자유형 수영 대회에서 얻은 최고 기록을 조사하여 표로 나타냈다.

어느 선수의 대회별 최고 기록

대회	1차	2차	3차	4차	5차
기록(초)	31.8	31.2	30.8	30.6	30.4

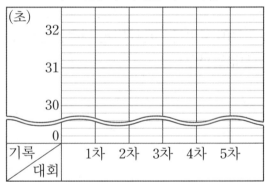

어느 선수의 대회별 최고 기록

29 위의 꺾은선그래프를 완성하세요.

30 이 선수의 기록에 대해 바르게 설명한 사람은 누구일까요?

지안

이 선수의 기록은 점점 나빠지고 있어.

유찬

전 대회에 비해 기록이 가장 많이 좋아진 때는 2차 대회야.

(   )

[31~34] 어느 지역의 7월 최고 기온과 최저 기온을 조사하여 나타낸 꺾은선그래프입니다. 물음에 답하세요.

최고 기온   최저 기온

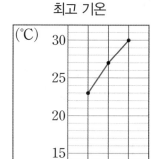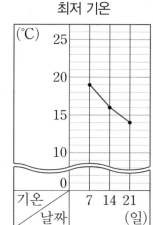

31 최고 기온은 높아지고 있나요, 낮아지고 있나요?

(   )

32 최저 기온은 높아지고 있나요, 낮아지고 있나요?

(   )

33 최고 기온과 최저 기온의 차를 일교차라고 합니다. 일교차는 커지고 있나요, 작아지고 있나요?

(   )

34 7월 28일의 최고 기온과 최저 기온을 각각 예상해 보세요.

꼭 단위까지 따라 쓰세요.

최고 기온 (℃)
최저 기온 (℃)

[35~38] 두 가지 책의 판매량을 조사해서 나타낸 꺾은선그래프입니다. 물음에 답하세요.

동화책의 판매량   만화책의 판매량

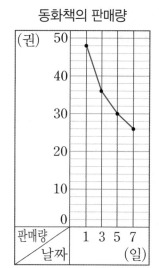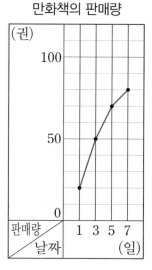

35 세로 눈금 한 칸의 크기는 각각 몇 권인지 구하세요.

동화책 (권)
만화책 (권)

36 3일에 더 많이 판매된 책은 어느 것일까요?

(   )

37 시간이 지나면서 판매량이 계속 줄어든 책은 어느 것일까요?

(   )

38 7일에 두 책의 판매량의 합은 몇 권일까요?

(   )

5

꺾은선그래프

125

| 활용 1 | 꺾은선그래프를 보고 바르게 설명한 것 찾기 |

꺾은선그래프에서 가로와 세로가 나타내는 것, 세로 눈금 한 칸의 크기를 살펴보고 알 수 있는 내용을 찾아봅니다.

1-1 과수원의 사과 수확량을 조사하여 나타낸 꺾은선 그래프입니다. 바르게 설명한 것의 기호를 쓰세요.

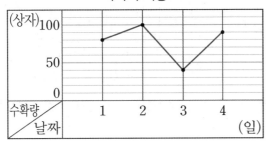

사과 수확량

> ㉠ 사과 수확량이 전날에 비해 가장 많이 늘어난 때는 4일입니다.
> ㉡ 1일에 사과 수확량은 53상자입니다.

( )

1-2 어느 가게의 스마트폰 판매량을 조사하여 나타 낸 꺾은선그래프입니다. 바르게 설명한 것의 기호를 쓰세요.

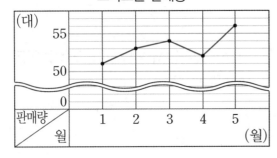

스마트폰 판매량

> ㉠ 스마트폰 판매량이 가장 많은 때는 3월 입니다.
> ㉡ 3월의 스마트폰 판매량은 54대입니다.

( )

| 활용 2 | 자료 값의 차 구하기 |

❶ 비교할 두 항목의 값을 구합니다.
❷ ❶에서 구한 두 값의 차를 구합니다.

2-1 어느 동영상의 날짜별 조회 수를 조사하여 나타 낸 꺾은선그래프입니다. 9일은 7일보다 조회 수 가 몇 회 더 많을까요?

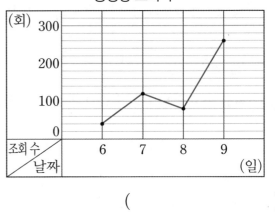

동영상 조회 수

( )

2-2 어느 날 바람 세기를 조사하여 나타낸 꺾은선그 래프입니다. 오후 3시에는 오전 9시보다 바람 세기가 몇 m/s 줄었을까요?

└ 바람 세기의 단위

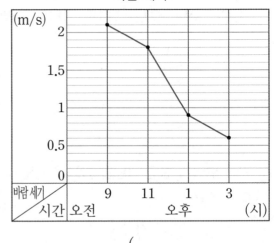

바람 세기

( )

활용 3 변화가 가장 큰 때의 자료의 변화 값 구하기

꺾은선그래프에서 선이 기울어진 정도를 비교하여 변화가 가장 큰 때를 찾고, 그때의 변화 값을 구합니다.

3-1 지수의 키를 매년 1월에 조사하여 나타낸 꺾은선그래프입니다. 지수의 키의 변화가 가장 큰 때는 전년도에 비해 몇 cm 자랐을까요?

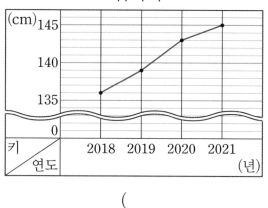
지수의 키

(　　　　　　　　　　)

3-2 곤충 박물관의 관람자 수를 조사하여 나타낸 꺾은선그래프입니다. 관람자 수의 변화가 가장 큰 때는 전날에 비해 어떻게 변했을까요?

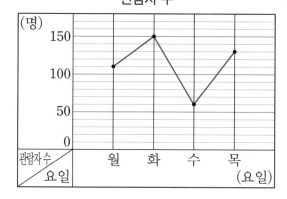
관람자 수

관람자 수가 □명

(늘었습니다 , 줄었습니다).

활용 4 자료 값의 합을 이용하여 꺾은선그래프 완성하기

❶ 알 수 있는 각 항목의 값을 구합니다.
❷ 자료 값의 합을 이용하여 모르는 항목의 값을 구합니다.
❸ 구한 값을 표시하여 꺾은선그래프를 완성합니다.

4-1 어느 제과점의 과자 판매량을 조사하여 나타낸 꺾은선그래프입니다. 10일부터 13일까지 판매한 과자가 모두 460개일 때 꺾은선그래프를 완성하세요.

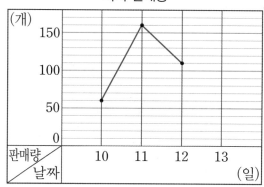
과자 판매량

4-2 어느 지역의 5일 동안 내린 비의 양을 조사하여 나타낸 꺾은선그래프입니다. 5일 동안 내린 비의 양이 모두 86 mm일 때 꺾은선그래프를 완성하세요.

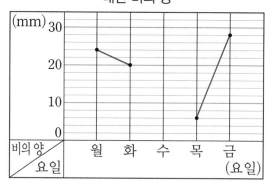
내린 비의 양

5 꺾은선그래프

127

[1~4] 어느 공장의 장난감 생산량을 조사하여 나타낸 꺾은선그래프입니다. 물음에 답하세요.

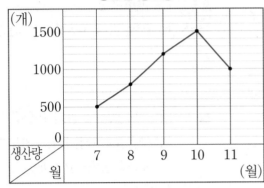

장난감 생산량

1 꺾은선그래프의 가로와 세로는 각각 무엇을 나타낼까요?

가로 (   ), 세로 (   )

2 꺾은선그래프를 보고 표를 완성하세요.

장난감 생산량

월	7	8	9	10	11
생산량(개)					

3 장난감 생산량이 가장 많은 때는 몇 월일까요?

(   )

4 꺾은선그래프를 보고 잘못 말한 사람은 누구일까요?

서아: 장난감 생산량이 가장 많이 늘어난 때는 10월과 11월 사이야.

건우: 장난감 생산량이 가장 적은 때는 7월이야.

(   )

5 시안이의 나이별 발 길이를 그래프로 나타내었습니다. 어느 그래프가 발 길이의 변화를 한눈에 알아보기 가장 쉬운지 기호를 쓰고, 그래프의 이름을 쓰세요.

㉮ 나이별 발 길이

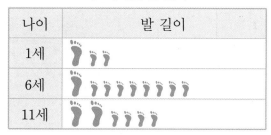

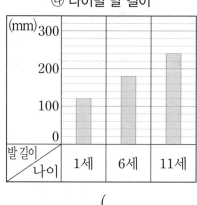

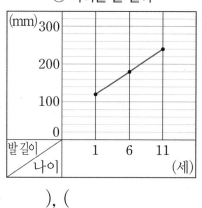

( ), ( )

〈각 그래프의 특징〉
• 그림그래프: 자료의 수와 크기를 쉽게 비교할 수 있습니다.
• 막대그래프: 많고 적음을 쉽게 알 수 있습니다.
• 꺾은선그래프: 시간에 따른 변화를 쉽게 알 수 있습니다.

5
꺾은선그래프

129

🔋 추론력

6 민서가 10월의 어느 날 땅의 온도를 측정하여 나타낸 꺾은선그래프입니다. 오후 4시의 땅의 온도를 예상해 보세요.

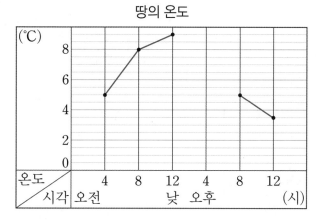

(1) 낮 12시와 오후 8시의 땅의 온도는 각각 몇 ℃인지 구하세요.

낮 12시 ( ), 오후 8시 ( )

(2) 오후 4시의 땅의 온도는 몇 ℃일지 예상해 보세요.

( )

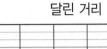
[7~8] 하임이가 매일 아침마다 달린 거리를 조사하여 나타낸 꺾은선그래프입니다. 물음에 답하세요.

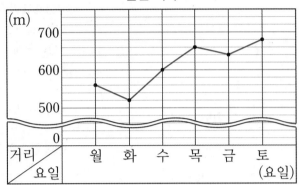

달린 거리

7 달린 거리가 전날에 비해 줄어든 요일을 모두 찾아 쓰세요.

(   )

8 달린 거리가 전날에 비해 가장 많이 늘어난 때는 무슨 요일이고, 전날에 비해 몇 m 더 많이 달렸는지 구하세요.

(   ), (   )

[9~10] 어느 마을의 초등학생 수를 조사하여 나타낸 표입니다. 물음에 답하세요.

초등학생 수

연도(년)	2000	2005	2010	2015	2020
초등학생 수(명)	960	950	930	900	860

9 표를 보고 꺾은선그래프로 나타내세요.

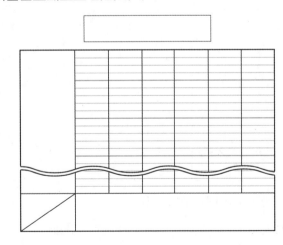

10 이 마을의 2025년 초등학생 수는 몇 명이 될지 예상해 보세요.

(   )

11 어느 마을에서 기르는 돼지 수를 조사하여 나타낸 꺾은선그래프입니다. 돼지가 가장 많은 때는 가장 적은 때보다 몇 마리 더 많을까요?

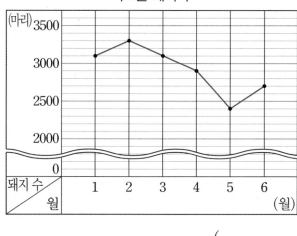

기르는 돼지 수

(   )

12 리듬 체조 선수의 기록을 조사하여 나타낸 꺾은선그래프입니다. 난도 점수와 실시 점수의 합이 가장 높은 때는 몇 년인지 구하세요.

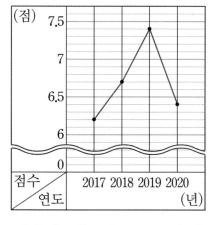

난도 점수

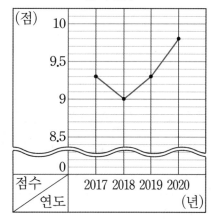

실시 점수

(1) 꺾은선그래프를 보고 표를 완성하세요.

리듬 체조 선수의 기록

연도(년)	2017	2018	2019	2020
난도 점수(점)	6.2			
실시 점수(점)	9.3			
합계(점)	15.5			

(2) 난도 점수와 실시 점수의 합이 가장 높은 때는 몇 년일까요?

(   )

S 솔루션

두 꺾은선그래프의 세로 눈금의 시작이 다른 것에 주의해요.

5

꺾은선그래프

131

심화 **1**

2개의 꺾은선 그래프 내용 알아보기

승기의 키와 몸무게를 매년 4월 1일에 조사하여 나타낸 꺾은선그래프입니다. 승기의 키가 130 cm일 때 몸무게는 몇 kg인지 구하세요.

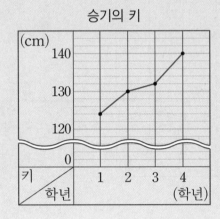

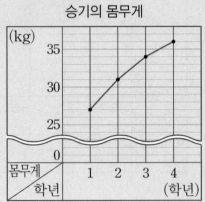

해결 순서 1 승기의 키가 130 cm일 때는 몇 학년일까요?

( )

해결 순서 2 승기의 키가 130 cm일 때 몸무게는 몇 kg일까요?

( )

1-1 지희네 학교 운동장의 온도와 습도를 조사하여 나타낸 꺾은선그래프입니다. 운동장의 온도가 24.5 ℃일 때 습도는 몇 %일까요?

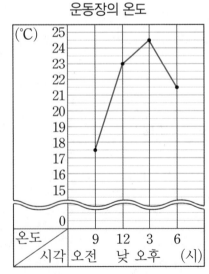

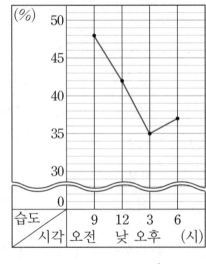

공기 중에 수증기가 들어 있는 정도를 습도라고 해. %로 나타내고 퍼센트라고 읽어.

( )

심화 2

표와 꺾은선그래프 완성하기

어느 마을의 감자 수확량을 조사하여 나타낸 표와 꺾은선그래프입니다. 표와 꺾은선 그래프를 완성하세요.

감자 수확량

날짜(일)	수확량(kg)
6	
7	
8	2200
9	1800

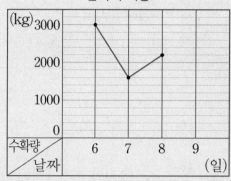

감자 수확량

해결 순서 1 꺾은선그래프에서 세로 눈금 한 칸은 몇 kg을 나타낼까요?

(   )

해결 순서 2 표와 꺾은선그래프를 완성하세요.

5

꺾은선그래프

2-1 경민이의 몸무게를 매월 1일에 조사하여 나타낸 표와 꺾은선그래프를 완성하세요.

경민이의 몸무게

월	몸무게(kg)
3	32.3
4	
5	
6	

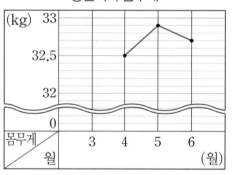

경민이의 몸무게

133

2-2 슬기네 아파트의 쓰레기 배출량을 조사하여 나타낸 표와 꺾은선그래프를 완성하세요.

쓰레기 배출량

월	배출량(kg)
5	110
6	
7	
8	

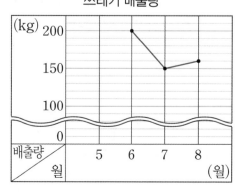

쓰레기 배출량

심화 3
중간값 구하기

오른쪽은 교실의 온도를 조사하여 나타낸 꺾은선그래프입니다. 오후 12시 30분에 교실의 온도는 몇 ℃일지 예상해 보세요.

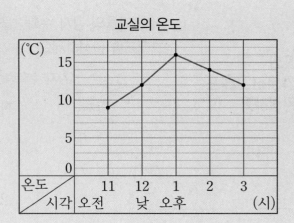

교실의 온도

해결 순서 1 낮 12시와 오후 1시에 교실의 온도는 각각 몇 ℃일까요?

낮 12시 (   ), 오후 1시 (   )

해결 순서 2 오후 12시 30분에 교실의 온도는 몇 ℃일지 예상해 보세요.

(   )

3-1 오른쪽은 재아가 키우는 나무의 키를 이틀마다 조사하여 나타낸 꺾은선그래프입니다. 4일에 나무의 키는 몇 cm일지 예상해 보세요.

(   )

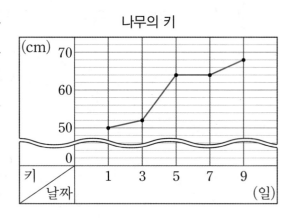

나무의 키

3-2 오른쪽은 어느 댐의 수위를 매월 1일에 조사하여 나타낸 꺾은선그래프입니다. 4월 16일에 댐의 수위는 몇 m일지 예상해 보세요.

(   )

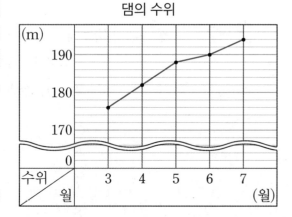

댐의 수위

심화 4

세로 눈금 한 칸의 크기를 다르게 할 때 칸 수 구하기

오른쪽은 어느 공장의 자동차 생산량을 조사하여 나타낸 꺾은선그래프입니다. 세로 눈금 한 칸을 10대로 하여 꺾은선그래프를 다시 그린다면 2일과 3일의 세로 눈금은 몇 칸 차이가 나는지 구하세요.

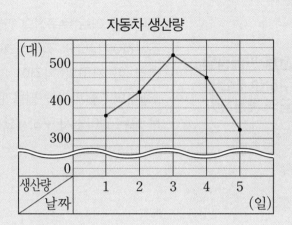

해결 순서 1 2일과 3일의 자동차 생산량의 차는 몇 대일까요?

(   )

해결 순서 2 세로 눈금 한 칸을 10대로 하여 꺾은선그래프를 다시 그린다면 2일과 3일의 세로 눈금은 몇 칸 차이가 날까요?

(   )

4-1

오른쪽은 지희네 과수원의 포도 생산량을 조사하여 나타낸 꺾은선그래프입니다. 세로 눈금 한 칸을 20상자로 하여 꺾은선그래프를 다시 그린다면 2020년과 2021년의 세로 눈금은 몇 칸 차이가 날까요?

(   )

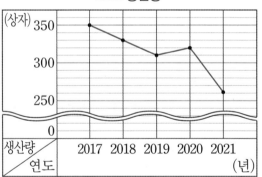

4-2

오른쪽은 정태네 논의 쌀 수확량을 조사하여 나타낸 꺾은선그래프입니다. 2018년과 2019년의 세로 눈금이 16칸 차이가 나도록 꺾은선그래프를 다시 그린다면 세로 눈금 한 칸은 몇 kg으로 해야 할까요?

(   )

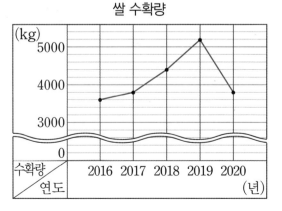

심화 **5**

전체 판매량을 구하여 판매한 금액 계산하기

오른쪽은 어느 문구점의 연필 판매량을 조사하여 나타낸 꺾은선그래프입니다. 연필 한 자루의 가격이 300원일 때 3월부터 7월까지 연필을 판매한 금액은 모두 얼마인지 구하세요.

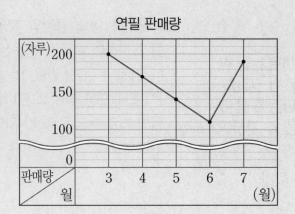

연필 판매량

해결 순서 **1** 꺾은선그래프를 보고 표를 완성하세요.

연필 판매량

월	3	4	5	6	7
판매량(자루)					

해결 순서 **2** 3월부터 7월까지 연필 판매량은 모두 몇 자루일까요?

( )

해결 순서 **3** 3월부터 7월까지 연필을 판매한 금액은 모두 얼마일까요?

( )

5-1 어느 편의점의 아이스크림 판매량을 조사하여 나타낸 꺾은선그래프입니다. 4월부터 8월까지 아이스크림을 판매한 금액은 모두 얼마일까요?

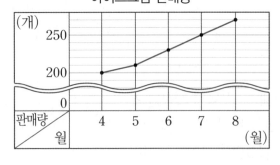

아이스크림 판매량

아이스크림 한 개의 가격은 700원이야.

( )

심화 6

2가지 자료를 나타낸 꺾은선 그래프 내용 알아보기

승호와 채윤이의 키를 매월 1일에 조사하여 나타낸 꺾은선그래프입니다. 승호와 채윤이의 키의 차가 가장 큰 때의 키의 차는 몇 cm인지 구하세요.

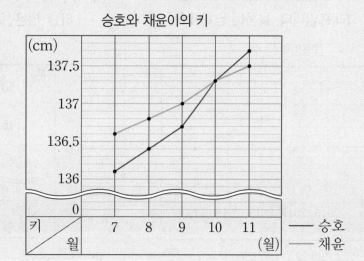

승호와 채윤이의 키

해결 순서 ① 승호와 채윤이의 키의 차가 가장 큰 때는 몇 월일까요?

( )

해결 순서 ② 승호와 채윤이의 키의 차가 가장 큰 때의 키의 차는 몇 cm일까요?

( )

5

꺾은선그래프

137

6-1 지호와 예진이의 몸무게를 매년 1월 1일에 조사하여 나타낸 꺾은선그래프입니다. 지호와 예진이의 몸무게의 차가 가장 큰 때의 몸무게의 차는 몇 kg인지 구하세요.

지호와 예진이의 몸무게

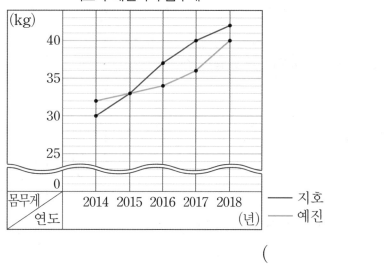

( )

Test 단원 실력 평가

점수
/점

[1~4] 어느 섬 마을의 연도별 4학년 학생 수를 조사하여 나타낸 그래프입니다. 물음에 답하세요.

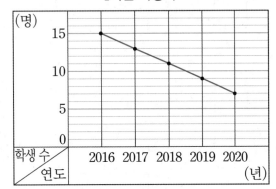

4학년 학생 수

1 위와 같은 그래프를 무슨 그래프라고 할까요?

( )

2 그래프의 가로와 세로는 각각 무엇을 나타낼까요?

가로 ( )
세로 ( )

3 2017년의 4학년 학생은 몇 명일까요?

( )

4 4학년 학생 수가 가장 적은 해는 몇 년일까요?

( )

[5~7] 은지가 피아노를 연습한 시간을 조사하여 나타낸 꺾은선그래프입니다. 물음에 답하세요.

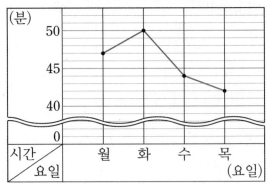

피아노를 연습한 시간

5 꺾은선그래프를 보고 표를 완성하세요.

피아노를 연습한 시간

요일	월	화	수	목
시간(분)				

6 피아노를 가장 오래 연습한 날은 무슨 요일일까요?

( )

7 피아노를 연습한 시간이 전날에 비해 가장 많이 줄어든 때는 무슨 요일일까요?

( )

[8~10] 어느 과자의 판매량을 조사하여 나타낸 표입니다. 물음에 답하세요.

과자 판매량

월	1	2	3	4
판매량(상자)	30	28	20	14

8 표를 보고 꺾은선그래프로 나타내세요.

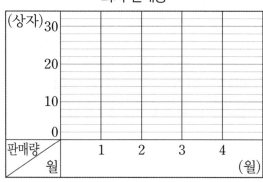

9 과자 판매량의 변화가 가장 적은 때는 몇 월과 몇 월 사이일까요?

( )

서술형

10 과자 판매량이 어떻게 변하고 있는지 쓰세요.

_____

_____

[11~13] 화분에 심은 식물의 키를 매일 조사하여 나타낸 표를 보고 꺾은선그래프로 나타내려고 합니다. 물음에 답하세요.

식물의 키

날짜(일)	1	2	3	4	5
키(cm)	16.5	16.8	17.2	17.2	17.4

11 세로 눈금 한 칸은 몇 cm로 나타내어야 할까요?

( )

12 표를 보고 꺾은선그래프로 나타내세요.

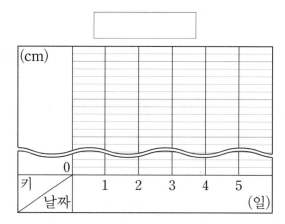

13 식물의 키가 전날과 같은 때는 며칠일까요?

( )

[14~16] 어느 식당의 음식물 쓰레기 배출량을 조사하여 나타낸 표와 꺾은선그래프입니다. 물음에 답하세요.

음식물 쓰레기 배출량

날짜(일)	5	6	7	8	9
배출량(kg)			7	16	19

음식물 쓰레기 배출량

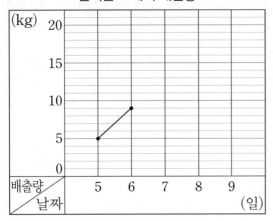

14 표와 꺾은선그래프를 완성하세요.

15 꺾은선그래프를 보고 잘못 설명한 것의 기호를 쓰세요.

> ㉠ 음식물 쓰레기 배출량이 전날에 비해 줄어든 때가 있습니다.
> ㉡ 음식물 쓰레기 배출량이 가장 적은 때는 7일입니다.

( )

16 음식물 쓰레기 배출량의 변화가 가장 큰 때는 전날에 비해 배출량이 몇 kg 늘었을까요?

( )

[17~18] 어느 지역의 월평균 기온과 미세 먼지 발생 날수를 조사하여 나타낸 꺾은선그래프입니다. 물음에 답하세요.

월평균 기온

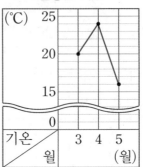

미세 먼지 발생 날수

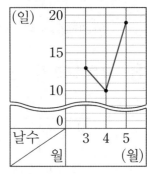

17 미세 먼지 발생 날수가 가장 많은 때와 가장 적은 때의 날수의 차를 구하세요.

( )

18 월평균 기온이 20 ℃일 때 미세 먼지 발생 날수는 며칠인지 풀이 과정을 쓰고 답을 구하세요.

풀이 _____

_____

_____

답 _____

19 어느 날 해수면의 온도를 조사하여 나타낸 꺾은선그래프입니다. 오후 3시에 해수면의 온도는 몇 ℃일지 예상해 보세요.

해수면의 온도

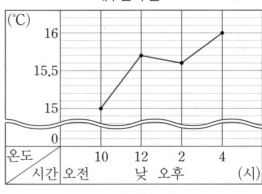

( )

20 하계 올림픽에서 우리나라가 획득한 금메달 수를 조사하여 나타낸 꺾은선그래프입니다. 1996년부터 2012년까지 획득한 금메달은 모두 몇 개일까요?

올림픽에서 획득한 금메달 수

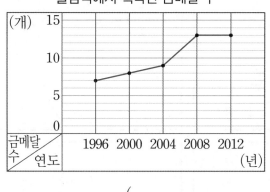

(   )

[21~22] 미주가 5일 동안 한 윗몸일으키기 횟수를 조사하여 나타낸 꺾은선그래프입니다. 5일 동안 윗몸일으키기를 모두 260번 했을 때 물음에 답하세요.

윗몸일으키기 횟수

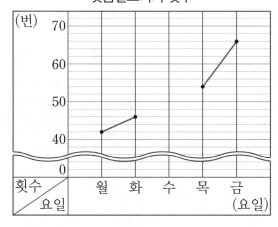

21 꺾은선그래프를 완성하세요.

22 목요일의 윗몸일으키기 횟수는 화요일의 윗몸일으키기 횟수보다 몇 번 더 많을까요?

(   )

[23~25] 종서와 형석이의 키를 매월 1일에 조사하여 나타낸 꺾은선그래프입니다. 물음에 답하세요.

종서와 형석이의 키

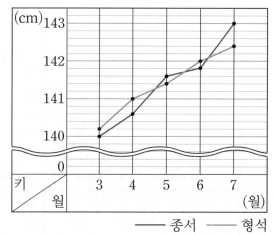

── 종서   ── 형석

23 두 사람의 키의 차가 가장 큰 때는 몇 월일까요?

(   )

 서술형

24 종서의 키가 전달에 비해 가장 많이 컸을 때 형석이의 키는 전달에 비해 몇 cm만큼 더 컸는지 풀이 과정을 쓰고 답을 구하세요.

풀이

답 _____

25 6월 16일에 두 사람의 키의 차는 약 몇 cm일까요?

(   )

6 다각형

다각형을 모른다면?

다각형을 잘 안다면?

스마트폰으로 QR 코드를 찍으면 개념 학습 영상도 보고, 수학 게임도 할 수 있어요.

개념 1 다각형 알아보기

1. 다각형 알아보기

다각형: 선분으로만 둘러싸인 도형

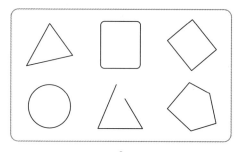

다각형	다각형이 아닌 도형

곡선이 포함된 도형은 다각형이 아닙니다.

선분으로 둘러싸여 있지 않고 열려 있기 때문에 다각형이 아닙니다.

다각형은 선분으로만 둘러싸인 도형이니까 곡선이 있거나 선분으로 완전히 둘러싸여 있지 않으면 다각형이 아니야!

2. 변의 수에 따라 다각형 분류하기

다각형은 변의 수에 따라
변이 **6**개이면 **육각형**,
변이 **7**개이면 **칠각형**,
변이 **8**개이면 **팔각형**이라고 부릅니다.

다각형				
변의 수	5개	6개	7개	8개
이름	오각형	육각형	칠각형	팔각형

다각형은 **변의 수**에 따라 이름이 정해지는구나.

3. 다각형을 점 종이에 그려 보기

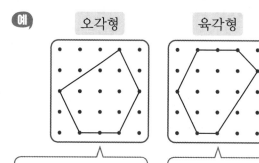

오각형   육각형

변의 수: 5개	변의 수: 6개
꼭짓점의 수: 5개	꼭짓점의 수: 6개

다각형마다 변의 수와 꼭짓점의 수가 서로 같아.

개념 2 정다각형 알아보기

1. 변의 길이와 각의 크기에 따라 분류하기

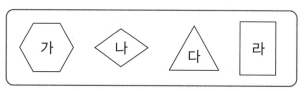

가   나   다   라

(1) 변의 길이에 따라 분류하기

변의 길이가 모두 같은 다각형	변의 길이가 모두 같지는 않은 다각형
가, 나, 다	라

(2) 각의 크기에 따라 분류하기

각의 크기가 모두 같은 다각형	각의 크기가 모두 같지는 않은 다각형
가, 다, 라	나

(3) 변의 길이와 각의 크기가 모두 같은 다각형은 가와 다입니다.

2. 정다각형 알아보기

정다각형: 변의 길이가 모두 같고, 각의 크기가 모두 같은 다각형

정삼각형　　　정사각형

정오각형　　　정육각형

정다각형	정삼각형	정사각형	정오각형	정육각형
변의 수	3개	4개	5개	6개
각의 수	3개	4개	5개	6개

주의 ▶ 정다각형이 아닌 다각형

(1) 변의 길이는 모두 같지만 각의 크기가 모두 같지 않은 다각형

예

(2) 각의 크기는 모두 같지만 변의 길이가 모두 같지 않은 다각형

예

 정다각형은 변의 길이가 모두 같으니까 한 변의 길이가 ● cm인 정다각형의 모든 변의 길이의 합은 ●×(변의 수)로 구할 수 있어.

정다각형은 각의 크기가 모두 같으니까 한 각의 크기가 ■°인 정다각형의 모든 각의 크기의 합은 ■°×(각의 수)로 구할 수 있지.

개념 3 **대각선 알아보기**

1. 대각선 알아보기

대각선: 다각형에서 선분 ㄱㄷ, 선분 ㄴㄹ과 같이 서로 이웃하지 않는 두 꼭짓점을 이은 선분

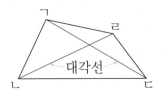

2. 다각형에 대각선을 그어 보고 성질 찾기

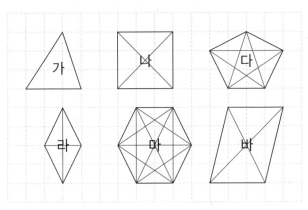

(1) 가는 모든 꼭짓점이 이웃하고 있기 때문에 대각선을 그을 수 없습니다.

(2) 나, 라는 두 대각선이 서로 수직으로 만납니다.

(3) 나는 두 대각선의 길이가 같습니다.

(4) 나, 라, 바는 두 대각선을 그었을 때 한 대각선이 다른 대각선을 똑같이 둘로 나눕니다.

(5) 꼭짓점의 수가 많은 다각형일수록 더 많은 대각선을 그을 수 있습니다.

사각형에서 대각선의 성질

- 두 대각선의 길이가 같은 사각형
  ➡ 직사각형, 정사각형
- 한 대각선이 다른 대각선을 똑같이 둘로 나누는 사각형
  ➡ 평행사변형, 마름모, 직사각형, 정사각형
- 두 대각선이 서로 수직으로 만나는 사각형
  ➡ 마름모, 정사각형
- 두 대각선의 길이가 같고 서로 수직으로 만나는 사각형
  ➡ 정사각형

직사각형　　　정사각형

평행사변형　　　마름모

개념 4　모양 만들기

1. 다각형으로 만들어진 모양 살펴보기

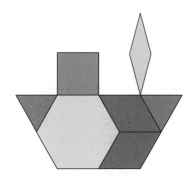

정삼각형, 정사각형, 정육각형, 평행사변형, 마름모를 사용해서 만든 모양입니다.

길이가 같은 변끼리 이어 붙였어.

---

2. 모양 조각으로 다각형 만들기

(1) 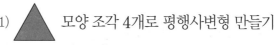 모양 조각 4개로 평행사변형 만들기

예

(2) ◢, ◢, ◢ 모양 조각

으로 오각형 만들기

예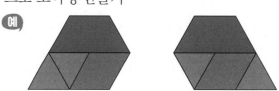

개념 5　모양 채우기

예 모양 조각으로 정육각형 채우기

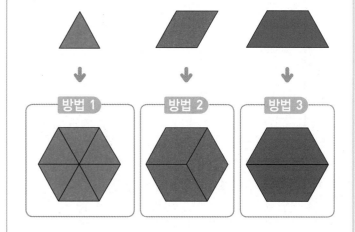

| 방법 1 | 방법 2 | 방법 3 |

[모양 채우는 방법]

① **빈틈없이** 이어 붙입니다.
② 서로 **겹치지 않게** 이어 붙입니다.
③ **길이가** 서로 **같은 변끼리** 이어 붙입니다.

 모양 조각으로 모양을 만들거나 채울 때 모양 조각 한 가지를 여러 번 사용하거나 모양 조각 여러 가지를 사용할 수 있어.

1 다각형 알아보기

- **다각형**: 선분으로만 둘러싸인 도형
  - 변이 **6**개인 다각형 ➡ **육각형**
  - 변이 **7**개인 다각형 ➡ **칠각형**
  - 변이 **8**개인 다각형 ➡ **팔각형**

1 다음에서 설명하는 다각형의 이름을 쓰세요.

> 7개의 변으로 둘러싸인 다각형

(   )

[2~3] 다음을 보고 물음에 답하세요.

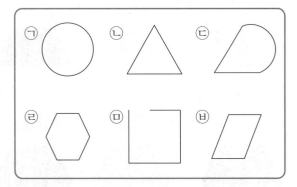

2 다각형을 모두 찾아 기호를 쓰세요.

(   )

🖉 서술형

3 다각형이 <u>아닌</u> 것을 하나만 찾아 기호를 쓰고, 그 까닭을 쓰세요.

답 _____

까닭 _____

4 관계있는 것끼리 선으로 이어 보세요.

- 사각형
- 오각형
- 팔각형

5 오각형을 찾아 ○표 하세요.

(   ) (   ) (   ) (   )

6 점 종이에 그려진 선분을 이용하여 다각형을 완성하세요.

(1) 육각형   (2) 칠각형

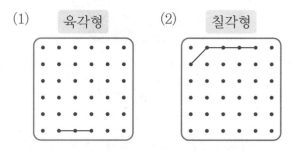

2 정다각형 알아보기

- **정다각형**: 변의 길이가 모두 같고 각의 크기가 모두 같은 다각형

정삼각형   정사각형   정오각형   정육각형

7 정다각형의 이름을 쓰세요.

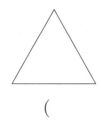

(   )

8 정다각형을 모두 찾아 기호를 쓰세요.

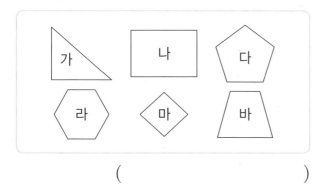

(   )

9 다음에서 설명하는 도형의 이름을 쓰세요.

- 6개의 변으로 둘러싸인 도형입니다.
- 변의 길이가 모두 같고 각의 크기가 모두 같습니다.

(   )

10 다음 도형은 정팔각형입니다. ☐ 안에 알맞은 수를 써넣으세요.

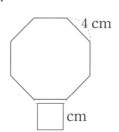

11 다음 도형을 이루고 있는 모양 조각 중 정다각형을 모두 찾아 색칠해 보고, 색칠한 모양 조각의 이름을 모두 쓰세요.

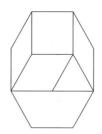

이름 _____

서술형

12 다음 도형이 정다각형인지 아닌지 알아보고, 그 까닭을 쓰세요.

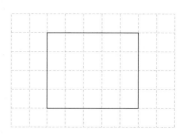

정다각형이 (맞습니다 , 아닙니다).

까닭 _____

3 대각선 알아보기

• **대각선**: 서로 이웃하지 않는 두 꼭짓점을 이은 선분

13 사각형에 대각선을 바르게 나타낸 것을 찾아 ○ 표 하세요.

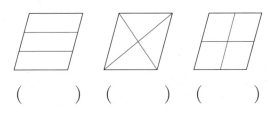

(   )   (   )   (   )

14 도형에 대각선을 모두 그어 보세요.

(1)   (2)

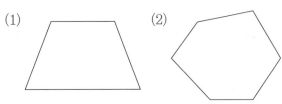

15 오각형에 대각선을 모두 그어 보고, 대각선은 몇 개인지 구하세요.

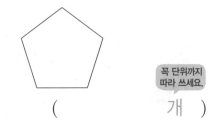

꼭 단위까지
따라 쓰세요.

(개   )

6
다각형

148

16 대각선의 수가 더 많은 다각형을 찾아 기호를 쓰세요.

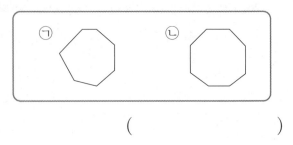

(   )

17 두 대각선이 서로 수직으로 만나는 다각형을 찾아 기호를 쓰세요.

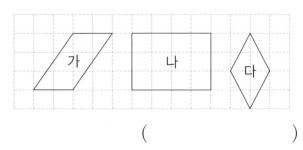

(   )

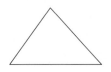 서술형

18 삼각형을 보고 삼각형에 대각선을 그을 수 없는 까닭을 쓰세요.

까닭

19 정사각형 ㄱㄴㄷㄹ에서 선분 ㄹㄴ의 길이는 몇 cm인지 구하세요.

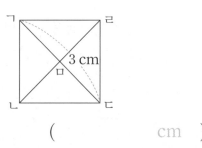

(cm   )

4 모양 만들기

다각형으로 이루어진 모양 조각으로 다양한 모양을 만들 수 있습니다.

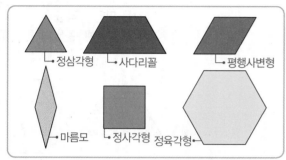

예

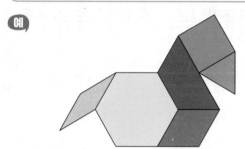

20 모양을 만드는 데 사용한 다각형을 모두 찾아 ○ 표 하세요.

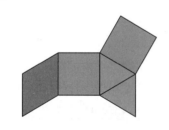

(삼각형 , 사각형 , 육각형)

21 다음 모양을 만들려면 모양 조각은 몇 개 필요할까요?

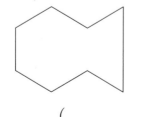

꼭 단위까지 따라 쓰세요.

(개)

22 왼쪽의 2가지 모양 조각을 사용하여 주어진 다각형을 만들어 보세요.

(1) 오각형

(2) 사각형

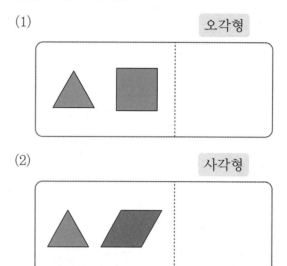

창의·융합

23 모양 조각 중에서 2가지를 골라 평행사변형을 만들려고 합니다. 서로 다른 방법으로 평행사변형을 만들어 보세요.

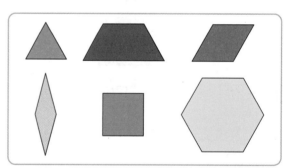

 같은 모양 조각을 여러 번 사용할 수 있어.

방법 1

방법 2

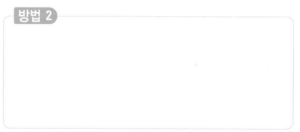

6

다각형

149

5 모양 채우기

예 같은 모양 조각을 여러 번 사용하여 다양한 방법으로 모양을 채울 수 있습니다.

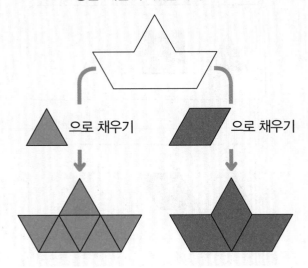

으로 채우기   으로 채우기

[24~25] 다각형을 사용하여 꾸민 모양을 보고 물음에 답하세요.

24 모양을 채우고 있는 다각형의 이름을 쓰세요.

(   )

25 모양 채우기 방법을 잘못 설명한 것을 찾아 기호를 쓰세요.

> ㉠ 빈틈없이 이어 붙였습니다.
> ㉡ 서로 겹치게 이어 붙였습니다.
> ㉢ 길이가 서로 같은 변끼리 이어 붙였습니다.

(   )

26  과 을 모두 사용하여 정사각형을 채울 수 있는 방법을 선으로 나타내세요.

> 같은 모양 조각을 여러 번 사용할 수 있어.

27 모양 조각

을 사용하여 서로 다른 방법으로 오각형을 채워 보세요.

> 같은 모양 조각을 여러 번 사용할 수 있어.

방법 1	방법 2
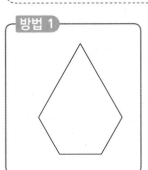	

⚡ **추론력**

[28~29] 모양 조각을 사용하여 주어진 모양을 채워 보세요. (단, 같은 모양 조각을 여러 번 사용할 수 있습니다.)

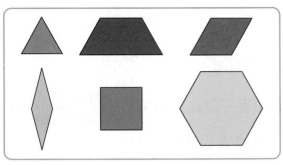

28   **29**

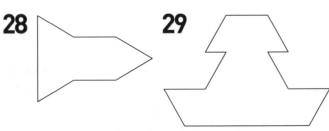

활용 1 변의 길이를 이용하여 정다각형 이름 알기

변의 길이를 이용하여 정다각형의 변의 수를 구한 후 정다각형의 이름을 알아봅니다.

1-1 한 변의 길이가 4 cm이고, 모든 변의 길이의 합이 36 cm인 정다각형이 있습니다. 이 도형의 이름을 쓰세요.

(   )

1-2 한 변의 길이가 5 cm이고, 모든 변의 길이의 합이 40 cm인 정다각형이 있습니다. 이 도형의 이름을 쓰세요.

(   )

1-3 다음이 설명하는 도형의 이름을 쓰세요.

> • 변의 길이가 모두 같고 각의 크기가 모두 같은 다각형입니다.
> • 한 변의 길이가 6 cm입니다.
> • 모든 변의 길이의 합이 72 cm입니다.

(   )

활용 2 필요한 모양 조각의 수 구하기

모양 조각으로 모양을 어떻게 채울 수 있을지 선을 그어 나타내어 보고, 모양 조각이 몇 개 필요한지 세어 봅니다.

2-1 왼쪽 모양 조각을 여러 개 사용하여 오른쪽 모양을 채우려고 합니다. 모양 조각이 모두 몇 개 필요할까요?

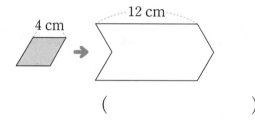

(   )

2-2 왼쪽 모양 조각을 여러 개 사용하여 오른쪽 모양을 채우려고 합니다. 모양 조각이 모두 몇 개 필요할까요?

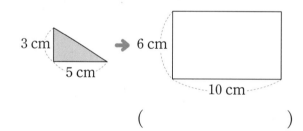

(   )

2-3 왼쪽 모양 조각을 여러 개 사용하여 오른쪽 모양을 채우려고 합니다. 모양 조각이 모두 몇 개 필요할까요?

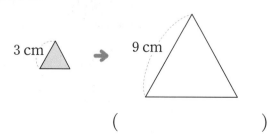

(   )

6

다각형

151

1 다각형은 모두 몇 개일까요?

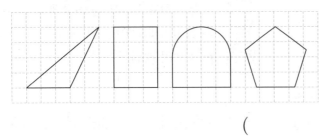

(   )

2 다음 중 설명이 옳지 <u>않은</u> 것을 모두 고르세요. ············ (   )

① 정사각형은 두 대각선이 서로 수직으로 만납니다.

② 변이 7개인 다각형은 칠각형입니다.

③ 대각선은 다각형에서 서로 이웃한 두 꼭짓점을 이은 선분입니다.

④ 정다각형은 변의 길이가 모두 같고 각의 크기가 모두 같습니다.

⑤ 사다리꼴, 원, 마름모는 다각형입니다.

3 주어진 종이에 크기가 서로 다른 정육각형을 2개 그려 보세요.

4 모양 조각을 사용하여 주어진 가면을 채워 보세요.

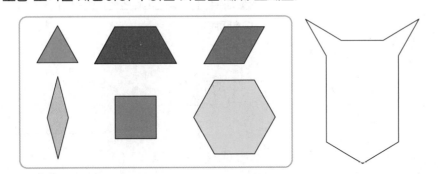

같은 모양 조각을 여러 번 사용할 수 있어요.

6

다각형

152

5 두 대각선의 길이가 같고, 서로 수직으로 만나는 사각형을 찾아 기호를 쓰세요.

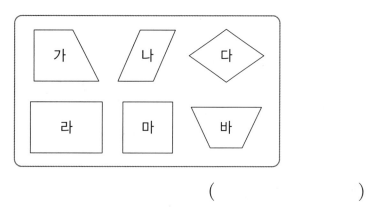

( )

6 조건을 만족하는 도형의 이름을 쓰세요.

• 변의 길이가 모두 같고 각의 크기가 모두 같은 다각형입니다.
• 대각선은 9개입니다.

( )

🔶 추론력

7 표시된 꼭짓점에서 그을 수 있는 대각선을 모두 그어 보고, 알게 된 점을 쓰세요.

알게된 점 _____

_____

8 길이가 75 cm인 철사를 겹치지 않게 사용하여 정팔각형 한 개를 만들었습니다. 정팔각형을 만들고 남은 철사의 길이가 3 cm일 때 만든 정팔각형의 한 변의 길이는 몇 cm일까요?

( )

대각선은 서로 이웃하지 않는 두 꼭짓점을 이은 선분이에요.

심화 **1**

대각선 수의
차(합) 구하기

도형 가와 나에 그을 수 있는 대각선 수의 차는 몇 개인지 구하세요.

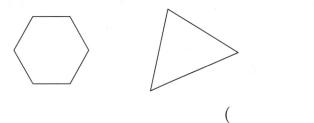

가   나

해결 **순서** **1** 도형 가에 그을 수 있는 대각선은 몇 개일까요?

(   )

해결 **순서** **2** 도형 나에 그을 수 있는 대각선은 몇 개일까요?

(   )

해결 **순서** **3** 두 도형에 그을 수 있는 대각선 수의 차는 몇 개일까요?

(   )

6

다각형

1-1 두 도형에 그을 수 있는 대각선 수의 차는 몇 개인지 구하세요.

(   )

1-2 두 도형에 그을 수 있는 대각선 수의 합은 몇 개인지 구하세요.

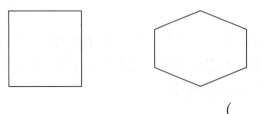

(   )

심화 2

이어 붙여 만든 도형에서 길이 구하기

다음은 정삼각형과 정육각형을 겹치지 않게 이어 붙여 만든 도형입니다. 정삼각형의 세 변의 길이의 합이 9 cm일 때 빨간 선의 길이는 몇 cm인지 구하세요.

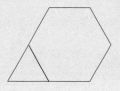

해결 순서 1 정삼각형의 한 변의 길이는 몇 cm일까요?

( )

해결 순서 2 정육각형의 한 변의 길이는 몇 cm일까요?

( )

해결 순서 3 빨간 선의 길이는 몇 cm일까요?

( )

2-1 오른쪽은 정사각형과 정오각형을 겹치지 않게 이어 붙여 만든 도형입니다. 정사각형의 네 변의 길이의 합이 16 cm일 때 빨간 선의 길이는 몇 cm인지 구하세요.

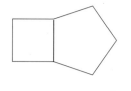

( )

2-2 오른쪽은 정오각형과 정삼각형을 겹치지 않게 이어 붙여 만든 도형입니다. 정오각형의 모든 변의 길이의 합이 30 cm일 때 빨간 선의 길이는 몇 cm인지 구하세요.

( )

6

다각형

155

심화 **3**

**정다각형의
한 각의 크기
구하기**

오른쪽 도형은 정오각형입니다. 정오각형의 한 각의 크기는 몇 도
인지 구하세요.

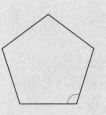

해결 **순서 1** 오른쪽 정오각형을 삼각형 3개로 나누어 보세요.

해결 **순서 2** 정오각형의 모든 각의 크기의 합은 몇 도일까요?

()

해결 **순서 3** 정오각형의 한 각의 크기는 몇 도일까요?

(   )

3-1 오른쪽 도형은 정육각형입니다. 정육각형의 한 각의 크기는 몇
도인지 구하세요.

(   )

3-2 오른쪽 도형은 정팔각형입니다. 정팔각형의 한 각의 크기는 몇
도인지 구하세요.

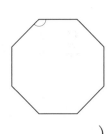

(   )

심화 4

사각형에서 대각선의 성질을 이용하여 길이의 합 구하기

그림과 같이 직사각형 안에 마름모를 그렸습니다. 마름모의 두 대각선의 길이의 합이 16 cm일 때 직사각형의 네 변의 길이의 합은 몇 cm인지 구하세요.

해결 순서 **1** 직사각형의 가로와 세로의 합은 몇 cm일까요?

(   )

해결 순서 **2** 직사각형의 네 변의 길이의 합은 몇 cm일까요?

(   )

6

다각형

4-1 오른쪽 그림과 같이 직사각형 안에 마름모를 그렸습니다. 마름모의 두 대각선의 길이의 합이 25 cm일 때 직사각형의 네 변의 길이의 합은 몇 cm인지 구하세요.

(   )

4-2 오른쪽 그림과 같이 정사각형 안에 정사각형을 그렸습니다. 작은 정사각형의 한 대각선의 길이가 9 cm일 때 큰 정사각형의 네 변의 길이의 합은 몇 cm인지 구하세요.

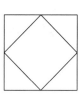

(   )

심화 5

만든 모양에서 각도 구하기

주어진 모양 조각을 사용하여 오른쪽 모양을 만들었습니다. ㉠과 ㉡의 각도의 합은 몇 도인지 구하세요. (단, 같은 모양 조각을 여러 번 사용할 수 있습니다.)

정사각형 정삼각형

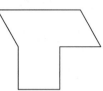

해결 순서 1 오른쪽 모양을 만들려면 모양 조각을 어떻게 놓아야 할지 선을 그어 나타내세요.

해결 순서 2 ㉠과 ㉡의 각도를 각각 구하세요.

㉠ (   ), ㉡ (   )

해결 순서 3 ㉠과 ㉡의 각도의 합은 몇 도일까요?

(   )

6

다각형

5-1 주어진 모양 조각을 사용하여 오른쪽 모양을 만들었습니다. ㉠과 ㉡의 각도의 합은 몇 도인지 구하세요. (단, 같은 모양 조각을 여러 번 사용할 수 있습니다.)

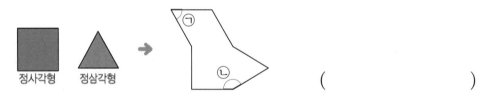

정사각형 정삼각형

(   )

5-2 주어진 모양 조각을 사용하여 오른쪽 모양을 만들었습니다. ㉠과 ㉡의 각도의 차는 몇 도인지 구하세요. (단, 같은 모양 조각을 여러 번 사용할 수 있습니다.)

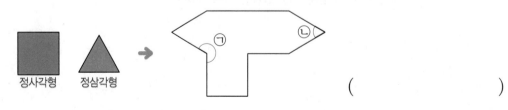

정사각형 정삼각형

(   )

정답과 해설 42쪽

심화 6
대각선의 성질을 이용하여 각도 구하기

직사각형 ㄱㄴㄷㄹ에서 각 ㄱㄴㅁ의 크기는 몇 도인지 구하세요.

해결 **순서 1** 각 ㄱㅁㄴ의 크기는 몇 도일까요?

(   )

해결 **순서 2** 삼각형 ㄱㄴㅁ은 어떤 삼각형일까요?

(   )

해결 **순서 3** 각 ㄱㄴㅁ의 크기는 몇 도일까요?

(   )

6

다각형

6-1 직사각형 ㄱㄴㄷㄹ에서 각 ㅁㄹㄷ의 크기는 몇 도인지 구하세요.

(   )

6-2 정사각형 ㄱㄴㄷㄹ에서 각 ㅁㄷㄴ의 크기는 몇 도인지 구하세요.

(   )

159

Test 단원 실력 평가

점수
/점

1 사각형에 대각선을 바르게 그은 것을 찾아 기호를 쓰세요.

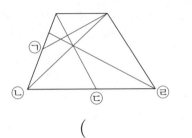

( )

2 팔각형을 그려 보세요.

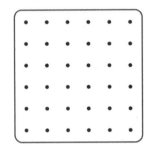

6
다각형

[3~4] 도형을 보고 물음에 답하세요.

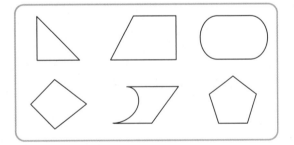

3 다각형은 모두 몇 개일까요?

( )

4 정다각형을 찾아 이름을 쓰세요.

( )

5 오각형을 보고 대각선은 모두 몇 개인지 구하세요.

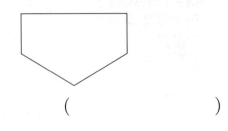

( )

6 모양을 만드는 데 사용한 다각형을 모두 고르세요. ·····( )

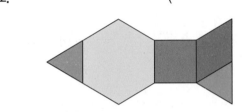

① 정삼각형 ② 정사각형
③ 정오각형 ④ 정육각형
⑤ 정팔각형

✏ 서술형

7 다각형의 이름을 쓰고, 그 까닭을 쓰세요.

이름

까닭

8 정다각형에 대해 잘못 설명한 사람은 누구일까요?

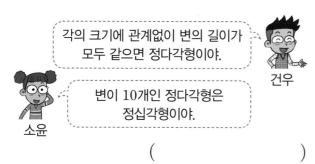

각의 크기에 관계없이 변의 길이가 모두 같으면 정다각형이야. — 건우

변이 10개인 정다각형은 정십각형이야. — 소윤

( )

11 한 변의 길이가 13 cm인 정팔각형이 있습니다. 이 정팔각형의 모든 변의 길이의 합은 몇 cm일까요?

( )

[9~10] 사각형을 보고 물음에 답하세요.

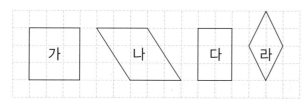

9 두 대각선의 길이가 같은 사각형을 모두 찾아 기호를 쓰세요.

( )

12 대각선의 수가 많은 순서대로 기호를 쓰세요.

㉠ 육각형　　㉡ 사각형　　㉢ 칠각형

( )

10 두 대각선이 서로 수직으로 만나는 사각형을 모두 찾아 기호를 쓰세요.

( )

13 다음은 정오각형과 정육각형입니다. ㉠과 ㉡의 각도의 차를 구하세요.

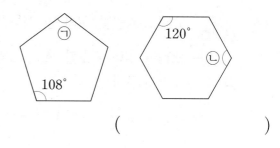

( )

6

다각형

161

14 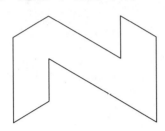 모양 조각으로 주어진 모양을 채우려면 어떻게 놓아야 할지 선을 그어 나타내세요. (단, 같은 모양 조각을 여러 번 사용할 수 있습니다.)

6

다각형

15 직사각형 ㄱㄴㄷㄹ에서 두 대각선의 길이의 합은 몇 cm인지 구하세요.

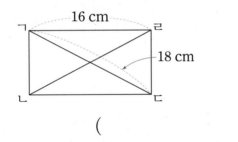

(   )

162

16 모양 조각만을 여러 번 사용하여 만들 수 있는 모양을 찾아 기호를 쓰고, 모양 조각이 몇 개 필요한지 구하세요.

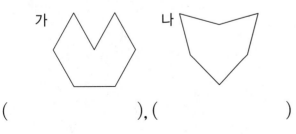

(   ), (   )

17 정구각형의 한 각의 크기는 140°입니다. 정구각형의 모든 각의 크기의 합은 몇 도일까요?

(   )

18 팔각형과 정팔각형의 같은 점을 모두 찾아 기호를 쓰세요.

> ㉠ 변의 수   ㉡ 대각선의 길이
> ㉢ 각의 수   ㉣ 모든 각의 크기의 합

(   )

19 길이가 70 cm인 철사를 겹치지 않게 사용하여 정육각형 한 개를 만들었습니다. 정육각형을 만들고 남은 철사의 길이가 4 cm일 때 정육각형의 한 변의 길이는 몇 cm일까요?

(   )

20 조건에 알맞은 다각형의 이름을 쓰세요.

> • 변의 길이가 모두 같고 각의 크기가 모두 같습니다.
> • 대각선이 모두 수직으로 만납니다.

(   )

21 사각형 ㄱㄴㄷㄹ은 마름모입니다. 삼각형 ㄱㄴㅁ의 세 변의 길이의 합은 몇 cm일까요?

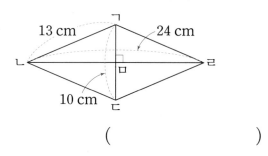

(   )

 서술형

22 정삼각형의 모든 변의 길이의 합과 정팔각형의 모든 변의 길이의 합은 같습니다. 정팔각형의 한 변의 길이는 몇 cm인지 풀이 과정을 쓰고 답을 구하세요.

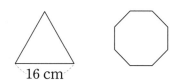

풀이 _____

_____

_____

_____

답 _____

 서술형

23 오각형은 그림과 같이 삼각형 3개로 나눌 수 있습니다. 이것을 이용하여 오각형의 모든 각의 크기의 합은 얼마인지 구하는 풀이 과정을 쓰고 답을 구하세요.

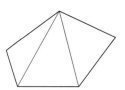

풀이 _____

_____

_____

_____

답 _____

24 왼쪽 모양 조각 3개를 사용하여 오른쪽 정육각형을 만들었습니다. 만든 정육각형의 모든 변의 길이의 합이 90 cm일 때 왼쪽 모양 조각 1개의 모든 변의 길이의 합은 몇 cm인지 구하세요.

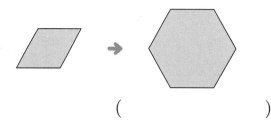

(   )

25 도형 ㄱㄴㄷㄹㅁ은 정오각형입니다. ㉠의 각도를 구하세요.

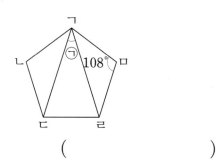

(   )

163

다각형

MEMO

초등 수학 라인업

난이도

최상

심화

유형

개념

기초 연산

최하

수학의 힘[감마]

수학리더[최상위]

수학리더
[응용+심화]

수학의 힘[베타]

수학리더
[기본+응용]

수학도
독해가 힘이다

초등 문해력
독해가 힘이다
[문장제 수학편]

수학리더[유형]

수학의 힘[알파]

수학리더[기본]

수학리더[개념]

계산박사

수학리더[연산]

New 해법 수학

학기별 1~3호   방학 개념 학습

GO! 매쓰 시리즈

Start/Run A–C/Jump

평가 대비 특화 교재

단원 평가   HME 수학   예비 중학
마스터   학력평가   신입생 수학

#차원이_다른_클라쓰
#강의전문교재
#초등교재

수학교재

● 수학리더 시리즈
- 수학리더 [연산]   예비초~6학년/A·B단계
- 수학리더 [개념]   1~6학년/학기별
- 수학리더 [기본]   1~6학년/학기별
- 수학리더 [유형]   1~6학년/학기별
- 수학리더 [기본+응용]   1~6학년/학기별
- 수학리더 [응용·심화]   1~6학년/학기별
- 신간 수학리더 [최상위]   3~6학년/학기별

● 독해가 힘이다 시리즈 *문제해결력
- 수학도 독해가 힘이다   1~6학년/학기별
- 신간 초등 문해력 독해가 힘이다 문장제 수학편 1~6학년/단계별

● 수학의 힘 시리즈
- 수학의 힘 알파[실력]   3~6학년/학기별
- 수학의 힘 베타[유형]   1~6학년/학기별

● Go! 매쓰 시리즈
- Go! 매쓰(Start) *교과서 개념 1~6학년/학기별
- Go! 매쓰(Run A/B/C) *교과서+사고력 1~6학년/학기별
- Go! 매쓰(Jump) *유형 사고력 1~6학년/학기별

● 계산박사   1~12단계

월간교재

● NEW 해법수학   1~6학년
● 해법수학 단원평가 마스터 1~6학년 / 학기별
● 월간 무등생평가   1~6학년

전과목교재

● 리더 시리즈
- 국어   1~6학년/학기별
- 사회   3~6학년/학기별
- 과학   3~6학년/학기별

수학리더 응용·심화

해법
첨략

검정 교과서 완벽 반영

천재교육

리더가 되기 위한
공부 비법

4-2

응용 심화서
실력·응용 문제
+ 문제 해결력 완성

천재교육

해법전략
포인트 ③가지

▶ 혼자서도 이해할 수 있는 친절한 문제 풀이

▶ 참고, 주의 등 자세한 풀이 제시

▶ 다른 풀이를 제시하여 다양한 방법으로 문제 풀이 가능

1 분수의 덧셈과 뺄셈

1단계 기본 유형 연습

1 $\dfrac{6}{7}$

2 예

/ 3, 4, 7, 1, 2

3 2, 4, 6 / $\dfrac{6}{7}$

4 $1\dfrac{4}{12}\left(=\dfrac{16}{12}\right)$

5 서준

6 2

7 $\dfrac{3}{6}+\dfrac{4}{6}=1\dfrac{1}{6}\left(=\dfrac{7}{6}\right)$ / $1\dfrac{1}{6}$시간$\left(=\dfrac{7}{6}$시간$\right)$

8 2 / 2

9 $\dfrac{2}{10}$

10 $\dfrac{5}{7}$

11 <

12 ( )(○)( )

13 $\dfrac{3}{5}-\dfrac{1}{5}=\dfrac{2}{5}$ / $\dfrac{2}{5}$ L

14 $\dfrac{3}{4}$

15 2, 5

16 $3\dfrac{2}{12}+\dfrac{11}{12}=\dfrac{38}{12}+\dfrac{11}{12}=\dfrac{49}{12}=4\dfrac{1}{12}$

17 $9\dfrac{7}{8}$

18 예 $2\dfrac{5}{9}+3\dfrac{7}{9}=5+\dfrac{12}{9}=5+1\dfrac{3}{9}=6\dfrac{3}{9}$

19 $1\dfrac{3}{10}+1\dfrac{5}{10}=2\dfrac{8}{10}$ / $2\dfrac{8}{10}$ kg

20 $2\dfrac{2}{4}+\dfrac{6}{4}=4$ / 4 km

21 예 / 2, 1

22 $4\dfrac{3}{8}$

23 (위부터) $1\dfrac{4}{15}$, $3\dfrac{7}{15}$

24 예 $3\dfrac{2}{5}=\dfrac{17}{5}$, $1\dfrac{1}{5}=\dfrac{6}{5}$이므로

$\dfrac{17}{5}-\dfrac{6}{5}=\dfrac{11}{5}=2\dfrac{1}{5}$

25 $4\dfrac{7}{10}-1\dfrac{3}{10}=3\dfrac{4}{10}$ / $3\dfrac{4}{10}$ kg

26 $2\dfrac{5}{8}-1\dfrac{4}{8}=1\dfrac{1}{8}$ / $1\dfrac{1}{8}$ m

27 $3-2\dfrac{2}{5}=2\dfrac{5}{5}-2\dfrac{2}{5}=\dfrac{3}{5}$

28 18, 11, 7 / 18, 11, 7

29 $4\dfrac{1}{8}$

30 $2\dfrac{1}{12}$

31 ㉠

32 $4-2\dfrac{7}{10}=1\dfrac{3}{10}$ / $1\dfrac{3}{10}$ m

33 $5-\dfrac{3}{5}=4\dfrac{2}{5}$ / $4\dfrac{2}{5}$ kg

34 1, 2

35 $2\dfrac{6}{8}$

36 $\dfrac{14}{20}$ m

37 $6\dfrac{3}{7}-4\dfrac{5}{7}=5\dfrac{10}{7}-4\dfrac{5}{7}$

$=(5-4)+\left(\dfrac{10}{7}-\dfrac{5}{7}\right)$

$=1+\dfrac{5}{7}=1\dfrac{5}{7}$

38 예 $4\dfrac{1}{5}$ m / $2\dfrac{3}{5}$ m

1 m 2 m 3 m 4 m

39 $2\dfrac{5}{10}-1\dfrac{6}{10}=\dfrac{9}{10}$ / 돼지고기, $\dfrac{9}{10}$ kg

---

1 $\dfrac{1}{7}+\dfrac{5}{7}=\dfrac{1+5}{7}=\dfrac{6}{7}$

3 $\dfrac{2}{7}+\dfrac{4}{7}$는 $\dfrac{1}{7}$이 $2+4=6$(개)이므로 $\dfrac{6}{7}$입니다.

➜ $\dfrac{2}{7}+\dfrac{4}{7}=\dfrac{2+4}{7}=\dfrac{6}{7}$

4 $\dfrac{7}{12}+\dfrac{9}{12}=\dfrac{7+9}{12}=\dfrac{16}{12}=1\dfrac{4}{12}$

5 서준: $\dfrac{3}{9}+\dfrac{5}{9}=\dfrac{3+5}{9}=\dfrac{8}{9}$

6 $\dfrac{5}{8}+\dfrac{\square}{8}=\dfrac{5+\square}{8}=\dfrac{7}{8}$

➡ $5+\square=7$, $\square=2$

7 (어제 피아노를 친 시간)

　　$+$(오늘 피아노를 친 시간)

$=\dfrac{3}{6}+\dfrac{4}{6}=\dfrac{3+4}{6}$

$=\dfrac{7}{6}=1\dfrac{1}{6}$(시간)

8 $1-\dfrac{4}{6}=\dfrac{6}{6}-\dfrac{4}{6}=\dfrac{6-4}{6}=\dfrac{2}{6}$

9 큰 수에서 작은 수를 뺍니다.

$\dfrac{5}{10}<\dfrac{7}{10}$ ➡ $\dfrac{7}{10}-\dfrac{5}{10}=\dfrac{7-5}{10}=\dfrac{2}{10}$

10 $\dfrac{6}{7}-\dfrac{1}{7}=\dfrac{6-1}{7}=\dfrac{5}{7}$

11 $1-\dfrac{6}{8}=\dfrac{8}{8}-\dfrac{6}{8}=\dfrac{8-6}{8}=\dfrac{2}{8}$

➡ $\dfrac{2}{8}<\dfrac{3}{8}$

12 ・$\dfrac{7}{9}-\dfrac{3}{9}=\dfrac{4}{9}$

　　・$\dfrac{6}{9}-\dfrac{1}{9}=\dfrac{5}{9}$

　　・$\dfrac{8}{9}-\dfrac{4}{9}=\dfrac{4}{9}$

➡ 계산 결과가 다른 것은 $\dfrac{6}{9}-\dfrac{1}{9}$입니다.

13 (처음에 있던 주스의 양)$-$(컵에 따르는 주스의 양)

$=\dfrac{3}{5}-\dfrac{1}{5}=\dfrac{3-1}{5}=\dfrac{2}{5}$ (L)

14 창문의 전체 크기 1에서 $\dfrac{1}{4}$만큼 닦았으므로

$1-\dfrac{1}{4}=\dfrac{4}{4}-\dfrac{1}{4}=\dfrac{3}{4}$만큼 더 닦아야 합니다.

17 $4\dfrac{3}{8}+5\dfrac{4}{8}=(4+5)+\left(\dfrac{3}{8}+\dfrac{4}{8}\right)$

$=9+\dfrac{7}{8}=9\dfrac{7}{8}$ (m)

19 (당근의 무게)$+$(오이의 무게)

$=1\dfrac{3}{10}+1\dfrac{5}{10}=(1+1)+\left(\dfrac{3}{10}+\dfrac{5}{10}\right)$

$=2+\dfrac{8}{10}=2\dfrac{8}{10}$ (kg)

20 (소라네 집에서 도서관까지의 거리)

　　$+$(도서관에서 학교까지의 거리)

$=2\dfrac{2}{4}+\dfrac{6}{4}=\dfrac{10}{4}+\dfrac{6}{4}$

$=\dfrac{16}{4}=4$ (km)

21 1과 $\dfrac{1}{3}$만큼 $\times$표 하면 2와 $\dfrac{1}{3}$만큼 남습니다.

➡ $3\dfrac{2}{3}-1\dfrac{1}{3}=(3-1)+\left(\dfrac{2}{3}-\dfrac{1}{3}\right)=2\dfrac{1}{3}$

22 $5\dfrac{7}{8}-1\dfrac{4}{8}=(5-1)+\left(\dfrac{7}{8}-\dfrac{4}{8}\right)$

$=4+\dfrac{3}{8}=4\dfrac{3}{8}$

23 ・$5\dfrac{11}{15}-2\dfrac{4}{15}=(5-2)+\left(\dfrac{11}{15}-\dfrac{4}{15}\right)$

$=3+\dfrac{7}{15}=3\dfrac{7}{15}$

　　・$7\dfrac{9}{15}-6\dfrac{5}{15}=(7-6)+\left(\dfrac{9}{15}-\dfrac{5}{15}\right)$

$=1+\dfrac{4}{15}=1\dfrac{4}{15}$

25 (수박의 무게)$=$(호박의 무게)$-1\dfrac{3}{10}$

$=4\dfrac{7}{10}-1\dfrac{3}{10}=(4-1)+\left(\dfrac{7}{10}-\dfrac{3}{10}\right)$

$=3+\dfrac{4}{10}=3\dfrac{4}{10}$ (kg)

26 (경민이가 사용한 철사의 길이)

　　$-$(진우가 사용한 철사의 길이)

$=2\dfrac{5}{8}-1\dfrac{4}{8}=(2-1)+\left(\dfrac{5}{8}-\dfrac{4}{8}\right)$

$=1+\dfrac{1}{8}=1\dfrac{1}{8}$ (m)

27 3을 $2\dfrac{5}{5}$로 바꾸어 자연수 부분끼리 빼고, 분수 부분끼리 뺍니다.

➡ $3-2\dfrac{2}{5}=2\dfrac{5}{5}-2\dfrac{2}{5}=\dfrac{3}{5}$

28 $2-1\dfrac{2}{9}$는 $\dfrac{1}{9}$이 $18-11=7$(개)이므로 $\dfrac{7}{9}$입니다.

$\Rightarrow 2-1\dfrac{2}{9}=\dfrac{18}{9}-\dfrac{11}{9}=\dfrac{7}{9}$

29 큰 수에서 작은 수를 뺍니다.

$5>\dfrac{7}{8}$ $\Rightarrow 5-\dfrac{7}{8}=\dfrac{40}{8}-\dfrac{7}{8}=\dfrac{33}{8}=4\dfrac{1}{8}$

30 $3-\dfrac{11}{12}=2\dfrac{12}{12}-\dfrac{11}{12}=2\dfrac{1}{12}$

31 ㉠ $6-3\dfrac{2}{6}=5\dfrac{6}{6}-3\dfrac{2}{6}=2\dfrac{4}{6}$

㉡ $4-\dfrac{3}{6}=3\dfrac{6}{6}-\dfrac{3}{6}=3\dfrac{3}{6}$

$\Rightarrow 2\dfrac{4}{6}<3\dfrac{3}{6}$

32 (소나무의 높이)$-$(은행나무의 높이)

$=4-2\dfrac{7}{10}=3\dfrac{10}{10}-2\dfrac{7}{10}$

$=1\dfrac{3}{10}$ (m)

33 (처음에 있던 쌀의 양)

　　$-$(밥을 짓는 데 사용한 쌀의 양)

$=5-\dfrac{3}{5}=4\dfrac{5}{5}-\dfrac{3}{5}=4\dfrac{2}{5}$ (kg)

34 $3\dfrac{1}{3}-1\dfrac{2}{3}=2\dfrac{4}{3}-1\dfrac{2}{3}=1\dfrac{2}{3}$

35 $5\dfrac{5}{8}-2\dfrac{7}{8}=\dfrac{45}{8}-\dfrac{23}{8}=\dfrac{22}{8}=2\dfrac{6}{8}$

36 $5\dfrac{13}{20}-4\dfrac{19}{20}=4\dfrac{33}{20}-4\dfrac{19}{20}=\dfrac{14}{20}$ (m)

37 진분수 부분끼리 뺄 수 없으므로 자연수 부분에서 1만큼을 분수로 바꾸어 계산해야 합니다.

38 (처음 리본의 길이)$-$(사용한 리본의 길이)

$=4\dfrac{1}{5}-1\dfrac{3}{5}=\dfrac{21}{5}-\dfrac{8}{5}=\dfrac{13}{5}=2\dfrac{3}{5}$ (m)

39 $1\dfrac{6}{10}$ kg$<2\dfrac{5}{10}$ kg이므로 돼지고기를

$2\dfrac{5}{10}-1\dfrac{6}{10}=1\dfrac{15}{10}-1\dfrac{6}{10}=\dfrac{9}{10}$ (kg) 더 많이 샀습니다.

1-1 $\dfrac{17}{20}$, $\dfrac{11}{20}$　　　**1-2** $1\dfrac{5}{11}\left(=\dfrac{16}{11}\right)$, $\dfrac{4}{11}$

1-3 $5\dfrac{1}{5}$, $1\dfrac{3}{5}$

2-1 ㉠　　　　　　**2-2** ㉡

2-3 ㉡

3-1 1, 2, 3　　　　**3-2** 1, 2, 3, 4, 5

3-3 1, 2, 3, 4

4-1 $\dfrac{4}{6}$　　　　　**4-2** $\dfrac{9}{10}$

4-3 $5\dfrac{3}{7}$

1-1 합: $\dfrac{14}{20}+\dfrac{3}{20}=\dfrac{14+3}{20}=\dfrac{17}{20}$

　　차: $\dfrac{14}{20}-\dfrac{3}{20}=\dfrac{14-3}{20}=\dfrac{11}{20}$

1-2 합: $\dfrac{6}{11}+\dfrac{10}{11}=\dfrac{6+10}{11}=\dfrac{16}{11}=1\dfrac{5}{11}$

　　차: $\dfrac{10}{11}-\dfrac{6}{11}=\dfrac{10-6}{11}=\dfrac{4}{11}$

1-3 합: $3\dfrac{2}{5}+1\dfrac{4}{5}=(3+1)+\left(\dfrac{2}{5}+\dfrac{4}{5}\right)=4+\dfrac{6}{5}$

$=4+1\dfrac{1}{5}=5\dfrac{1}{5}$

　　차: $3\dfrac{2}{5}-1\dfrac{4}{5}=2\dfrac{7}{5}-1\dfrac{4}{5}=1\dfrac{3}{5}$

2-1 ㉠ $\dfrac{6}{7}-\dfrac{2}{7}=\dfrac{6-2}{7}=\dfrac{4}{7}$

㉡ $1-\dfrac{5}{7}=\dfrac{7}{7}-\dfrac{5}{7}=\dfrac{2}{7}$

㉢ $\dfrac{1}{7}+\dfrac{2}{7}=\dfrac{1+2}{7}=\dfrac{3}{7}$

$\Rightarrow$ ㉠ $\dfrac{4}{7}>$ ㉢ $\dfrac{3}{7}>$ ㉡ $\dfrac{2}{7}$

2-2 ㉠ $\dfrac{7}{9}+\dfrac{4}{9}=\dfrac{11}{9}=1\dfrac{2}{9}$

㉡ $3-\dfrac{8}{9}=2\dfrac{9}{9}-\dfrac{8}{9}=2\dfrac{1}{9}$

㉢ $2\dfrac{5}{9}-1\dfrac{1}{9}=1\dfrac{4}{9}$

$\Rightarrow$ ㉡ $2\dfrac{1}{9}>$ ㉢ $1\dfrac{4}{9}>$ ㉠ $1\dfrac{2}{9}$

정답과 해설

2-3 ㉠ $1\dfrac{1}{3}+\dfrac{4}{3}=1+\dfrac{5}{3}=1+1\dfrac{2}{3}=2\dfrac{2}{3}$

㉡ $4\dfrac{1}{3}-2\dfrac{2}{3}=3\dfrac{4}{3}-2\dfrac{2}{3}=1\dfrac{2}{3}$

㉢ $\dfrac{2}{3}+2\dfrac{1}{3}=2+\dfrac{3}{3}=3$

➡ ㉡ $1\dfrac{2}{3}<$ ㉠ $2\dfrac{2}{3}<$ ㉢ 3

3-1 $1\dfrac{2}{5}=\dfrac{7}{5}$, $\dfrac{\square}{5}+\dfrac{3}{5}=\dfrac{\square+3}{5}$

$\dfrac{\square+3}{5}<\dfrac{7}{5}$이므로 $\square+3<7$, $\square<4$입니다.

➡ $\square$ 안에 들어갈 수 있는 수는 1, 2, 3입니다.

3-2 $1\dfrac{2}{8}=\dfrac{10}{8}$, $\dfrac{4}{8}+\dfrac{\square}{8}=\dfrac{4+\square}{8}$

$\dfrac{4+\square}{8}<\dfrac{10}{8}$이므로 $4+\square<10$, $\square<6$입니다.

➡ $\square$ 안에 들어갈 수 있는 수는 1, 2, 3, 4, 5입니다.

3-3 $1\dfrac{4}{7}=\dfrac{11}{7}$, $1\dfrac{4}{7}-\dfrac{\square}{7}=\dfrac{11}{7}-\dfrac{\square}{7}=\dfrac{11-\square}{7}$

$\dfrac{11-\square}{7}>\dfrac{6}{7}$이므로 $11-\square>6$, $\square<5$입니다.

➡ $\square$ 안에 들어갈 수 있는 수는 1, 2, 3, 4입니다.

4-1 어떤 분수를 $\square$라 하면

$\square+\dfrac{5}{6}=1\dfrac{3}{6}$입니다.

$\square=1\dfrac{3}{6}-\dfrac{5}{6}=\dfrac{9}{6}-\dfrac{5}{6}=\dfrac{4}{6}$이므로

어떤 분수는 $\dfrac{4}{6}$입니다.

4-2 어떤 분수를 $\square$라 하면

$\square+4\dfrac{3}{10}=5\dfrac{2}{10}$입니다.

$\square=5\dfrac{2}{10}-4\dfrac{3}{10}=4\dfrac{12}{10}-4\dfrac{3}{10}=\dfrac{9}{10}$이므로

어떤 분수는 $\dfrac{9}{10}$입니다.

4-3 어떤 대분수를 $\square$라 하면

$\square-2\dfrac{4}{7}=2\dfrac{6}{7}$입니다.

$\square=2\dfrac{6}{7}+2\dfrac{4}{7}=4+\dfrac{10}{7}=4+1\dfrac{3}{7}=5\dfrac{3}{7}$이므로

어떤 대분수는 $5\dfrac{3}{7}$입니다.

16~19쪽 **2단계 실력 유형 연습**

1 $1\dfrac{1}{12}\left(=\dfrac{13}{12}\right)$ **2** $3,\ 2\dfrac{1}{8}$

3 $\dfrac{6}{10}$ **4** $1-\dfrac{2}{5}=\dfrac{3}{5}$ / $\dfrac{3}{5}$ L

5 $3\dfrac{2}{13}$

6 예 4에서 1만큼을 가분수로 바꾸면 $3\dfrac{7}{7}$이야.

그래서 $4-1\dfrac{3}{7}=3\dfrac{7}{7}-1\dfrac{3}{7}=2\dfrac{4}{7}$야.

7 (1) $31\dfrac{3}{4}$ kg (2) 33 kg

8 1, 2, 3, 4, 5   **9** $5\dfrac{5}{12}$시간

10 예 $1\dfrac{7}{13}$, $2\dfrac{1}{13}$ 또는 $2\dfrac{1}{13}+1\dfrac{7}{13}$ / $3\dfrac{8}{13}$

11 $\dfrac{7}{8}$ L   **12** $2,\ 4$ / $4\dfrac{5}{9}$

13 2병, $\dfrac{8}{10}$ kg

14 (1) $20\dfrac{6}{16}$ cm (2) $18\dfrac{7}{16}$ cm

---

1 가장 큰 수: $\dfrac{8}{12}$, 가장 작은 수: $\dfrac{5}{12}$

➡ $\dfrac{8}{12}+\dfrac{5}{12}=\dfrac{8+5}{12}=\dfrac{13}{12}=1\dfrac{1}{12}$

2 $2\dfrac{2}{7}+\dfrac{5}{7}=2+\dfrac{7}{7}=3$,

$3-\dfrac{7}{8}=2\dfrac{8}{8}-\dfrac{7}{8}=2\dfrac{1}{8}$

3 (준영이가 먹은 케이크의 양)
    +(희진이가 먹은 케이크의 양)

$=\dfrac{3}{10}+\dfrac{3}{10}=\dfrac{3+3}{10}$

$=\dfrac{6}{10}$

4 (병의 들이)−(병에 들어 있는 간장의 양)

$=1-\dfrac{2}{5}=\dfrac{5}{5}-\dfrac{2}{5}$

$=\dfrac{3}{5}$ (L)

4

5 얼룩이 묻은 부분의 분수를 □라 하면

$$\square + 1\frac{5}{13} = 4\frac{7}{13} \text{입니다.}$$

$$\rightarrow \square = 4\frac{7}{13} - 1\frac{5}{13} = (4-1) + \left(\frac{7}{13} - \frac{5}{13}\right)$$

$$= 3 + \frac{2}{13} = 3\frac{2}{13}$$

6 평가 기준

4에서 1만큼을 가분수로 바꿔야 $1\frac{3}{7}$을 뺄 수 있는 것을 알고 $4 - 1\frac{3}{7}$의 계산 방법을 바르게 설명했으면 정답입니다.

7 (1) (윤아의 몸무게) = (다현이의 몸무게) $- 2\frac{1}{4}$

$$= 34 - 2\frac{1}{4} = 33\frac{4}{4} - 2\frac{1}{4}$$

$$= 31\frac{3}{4} \text{ (kg)}$$

(2) (지원이의 몸무게) = (윤아의 몸무게) $+ \frac{5}{4}$

$$= 31\frac{3}{4} + \frac{5}{4} = 31 + \frac{8}{4}$$

$$= 33 \text{ (kg)}$$

8 $\frac{7}{13} + \frac{\square}{13} = \frac{7+\square}{13}$ $\rightarrow$ $\frac{7+\square}{13} < \frac{13}{13}$ 이므로

$7 + \square < 13$, $\square < 6$입니다.

따라서 □ 안에 들어갈 수 있는 자연수는 1, 2, 3, 4, 5 입니다.

9 (공부한 시간) + (운동한 시간) + (청소한 시간)

$$= 2\frac{7}{12} + 1\frac{9}{12} + 1\frac{1}{12}$$

$$= 4\frac{4}{12} + 1\frac{1}{12}$$

$$= 5\frac{5}{12} \text{(시간)}$$

10 더하는 두 수가 작을수록 합이 작아지므로 가장 작은 수와 두 번째로 작은 수를 더합니다.

$$1\frac{7}{13} < 2\frac{1}{13} < \frac{30}{13}\left(= 2\frac{4}{13}\right)$$

$$\rightarrow 1\frac{7}{13} + 2\frac{1}{13} = (1+2) + \left(\frac{7}{13} + \frac{1}{13}\right)$$

$$= 3 + \frac{8}{13} = 3\frac{8}{13}$$

참고

더하는 두 수가 작을수록 합이 작아지고, 더하는 두 수가 클 수록 합이 커집니다.

11 사용한 페인트의 양을 □ L라 하면

$$1\frac{4}{8} - \square = \frac{5}{8} \text{입니다.}$$

$$\rightarrow \square = 1\frac{4}{8} - \frac{5}{8} = \frac{12}{8} - \frac{5}{8} = \frac{7}{8} \text{이므로}$$

사용한 페인트는 $\frac{7}{8}$ L입니다.

12 빼는 수가 작을수록 계산 결과가 크게 되므로 $\bigcirc\frac{\bigcirc}{9}$의

$\bigcirc$에는 가장 작은 수인 2를, $\bigcirc$에는 두 번째로 작은 수인 4를 넣습니다.

$$\rightarrow 7 - 2\frac{4}{9} = 6\frac{9}{9} - 2\frac{4}{9} = 4\frac{5}{9}$$

13 딸기잼 1병을 만들면 딸기가

$$5\frac{4}{10} - 2\frac{3}{10} = 3\frac{1}{10} \text{ (kg) 남습니다.}$$

딸기잼 2병을 만들면 딸기가

$$3\frac{1}{10} - 2\frac{3}{10} = 2\frac{11}{10} - 2\frac{3}{10} = \frac{8}{10} \text{ (kg) 남습니다.}$$

$\rightarrow$ 딸기잼은 2병까지 만들 수 있고, 남는 딸기는 $\frac{8}{10}$ kg입니다.

참고

$5\frac{4}{10}$ kg에서 $2\frac{3}{10}$ kg을 뺄 수 있을 때까지 뺐을 때 뺀 횟수가 만들 수 있는 딸기잼의 병 수가 되고, 남는 무게가 남는 딸기의 무게가 됩니다.

14 (1) (색 테이프 2장의 길이의 합)

$$= 10\frac{3}{16} + 10\frac{3}{16} = 20\frac{6}{16} \text{ (cm)}$$

(2) (색 테이프 2장의 길이의 합) − (겹쳐진 부분의 길이)

$$= 20\frac{6}{16} - 1\frac{15}{16} = 19\frac{22}{16} - 1\frac{15}{16}$$

$$= 18\frac{7}{16} \text{ (cm)}$$

20~25쪽 **3단계** 심화 유형 연습

심화 1 ① 2, 5 ② $\dfrac{2}{8}$, $\dfrac{5}{8}$

1-1 $\dfrac{4}{13}$, $\dfrac{8}{13}$ 1-2 $\dfrac{2}{5}$, $\dfrac{4}{5}$

심화 2 ① $3\dfrac{5}{6}$, $2\dfrac{4}{6}$

②
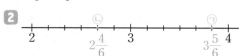

③ ㉡

2-1 ㉠   2-2 ㉢

심화 3 ① $5\dfrac{4}{20}$ km ② $1\dfrac{13}{20}$ km

3-1 $2\dfrac{5}{10}$ km   3-2 $5\dfrac{2}{8}$ km

심화 4 ① $\dfrac{6}{17}$ ② $\dfrac{11}{17}$

4-1 $\dfrac{4}{16}$ 4-2 $\dfrac{5}{20}$

심화 5 ① $8\dfrac{6}{7}$ ② $2\dfrac{3}{7}$ ③ $6\dfrac{3}{7}$

5-1 11   5-2 $1\dfrac{2}{9}$

심화 6 ① $2\dfrac{2}{3}$분 ② 2분 40초

③ 오후 2시 57분 20초

6-1 오후 3시 53분 30초

6-2 오후 12시 5분 5초

심화 1 ① 합이 7인 두 수는 (1, 6), (2, 5), (3, 4)이고 이 중에서 차가 3인 두 수는 (2, 5)입니다.

② 합이 7, 차가 3인 두 수는 2와 5이므로 두 진분수는 $\dfrac{2}{8}$, $\dfrac{5}{8}$입니다.

1-1 합이 12인 두 수는 (1, 11), (2, 10), (3, 9), (4, 8), (5, 7), (6, 6)이고 이 중에서 차가 4인 두 수는 (4, 8)입니다.

합이 12, 차가 4인 두 수는 4와 8이므로 두 진분수는 $\dfrac{4}{13}$, $\dfrac{8}{13}$입니다.

1-2 $1\dfrac{1}{5}=\dfrac{6}{5}$이므로 합이 6, 차가 2인 두 수를 찾습니다.

합이 6인 두 수는 (1, 5), (2, 4), (3, 3)이고 이 중에서 차가 2인 두 수는 (2, 4)입니다.

합이 6, 차가 2인 두 수는 2와 4이므로 두 진분수는 $\dfrac{2}{5}$, $\dfrac{4}{5}$입니다.

심화 2 ① ㉠ $4-\dfrac{1}{6}=3\dfrac{6}{6}-\dfrac{1}{6}=3\dfrac{5}{6}$

㉡ $5-2\dfrac{2}{6}=4\dfrac{6}{6}-2\dfrac{2}{6}=2\dfrac{4}{6}$

②~③
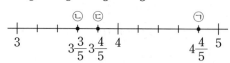

계산 결과가 3에 더 가까운 식은 ㉡입니다.

2-1 ㉠ $7-1\dfrac{3}{4}=6\dfrac{4}{4}-1\dfrac{3}{4}=5\dfrac{1}{4}$

㉡ $5-\dfrac{2}{4}=4\dfrac{4}{4}-\dfrac{2}{4}=4\dfrac{2}{4}$

➜ 계산 결과가 5에 더 가까운 식은 ㉠입니다.

2-2 ㉠ $5-\dfrac{1}{5}=4\dfrac{5}{5}-\dfrac{1}{5}=4\dfrac{4}{5}$

㉡ $6-2\dfrac{2}{5}=5\dfrac{5}{5}-2\dfrac{2}{5}=3\dfrac{3}{5}$

㉢ $10-6\dfrac{1}{5}=9\dfrac{5}{5}-6\dfrac{1}{5}=3\dfrac{4}{5}$

➜ 계산 결과가 4에 가장 가까운 식은 ㉢입니다.

심화 3 ① (집에서 학교까지의 거리)

$=10\dfrac{13}{20}-5\dfrac{9}{20}=5\dfrac{4}{20}$ (km)

② (학교에서 은행까지의 거리)

$=6\dfrac{17}{20}-5\dfrac{4}{20}=1\dfrac{13}{20}$ (km)

3-1 (편의점에서 학원까지의 거리)

$=14\dfrac{7}{10}-7\dfrac{9}{10}=13\dfrac{17}{10}-7\dfrac{9}{10}$

$=6\dfrac{8}{10}$ (km)

(학원에서 문구점까지의 거리)

$=9\dfrac{3}{10}-6\dfrac{8}{10}=8\dfrac{13}{10}-6\dfrac{8}{10}=2\dfrac{5}{10}$ (km)

다른 풀이

(문구점에서 공원까지의 거리)$=14\frac{7}{10}-9\frac{3}{10}=5\frac{4}{10}$ (km)

(학원에서 문구점까지의 거리)$=7\frac{9}{10}-5\frac{4}{10}=2\frac{5}{10}$ (km)

3-2 (㉮에서 ㉰까지의 거리)

$=8-5\frac{3}{8}=7\frac{8}{8}-5\frac{3}{8}=2\frac{5}{8}$ (km)

(㉮에서 ㉱까지의 거리)

$=2\frac{5}{8}+2\frac{5}{8}=4+\frac{10}{8}=4+1\frac{2}{8}=5\frac{2}{8}$ (km)

심화 4 **1** $\frac{2}{17}+\frac{2}{17}+\frac{2}{17}=\frac{2+2+2}{17}=\frac{6}{17}$

2 1−(3시간 동안 읽은 동화책의 양)

$=1-\frac{6}{17}=\frac{17}{17}-\frac{6}{17}=\frac{11}{17}$

4-1 4일 동안 한 일의 양은 전체의

$\frac{3}{16}+\frac{3}{16}+\frac{3}{16}+\frac{3}{16}=\frac{12}{16}$입니다.

➡ (남은 일의 양)$=1-\frac{12}{16}=\frac{16}{16}-\frac{12}{16}=\frac{4}{16}$

4-2 아버지와 어머니가 함께 하루에 무를 뽑은 밭은

전체의 $\frac{2}{20}+\frac{1}{20}=\frac{3}{20}$입니다.

5일 동안 무를 뽑은 밭은 전체의

$\frac{3}{20}+\frac{3}{20}+\frac{3}{20}+\frac{3}{20}+\frac{3}{20}=\frac{15}{20}$입니다.

➡ (남은 밭의 양)$=1-\frac{15}{20}=\frac{20}{20}-\frac{15}{20}=\frac{5}{20}$

심화 5 **1** 8>6>5>3>2이므로 8을 자연수 부분에, 6을 분자 부분에 사용하여 분모가 7인 가장 큰 대분수를 만듭니다.

2 2를 자연수 부분에, 3을 분자 부분에 사용하여 분모가 7인 가장 작은 대분수를 만듭니다.

3 $8\frac{6}{7}-2\frac{3}{7}=(8-2)+\left(\frac{6}{7}-\frac{3}{7}\right)=6+\frac{3}{7}=6\frac{3}{7}$

5-1 9>7>6>4>1이므로 분모가 11인 가장 큰 대분수는

$9\frac{7}{11}$, 가장 작은 대분수는 $1\frac{4}{11}$입니다.

➡ $9\frac{7}{11}+1\frac{4}{11}=10+\frac{11}{11}=11$

5-2 ・서야: 자연수 부분이 4이고 분모가 9인 대분수

$4\frac{\square}{9}$ 중 가장 작은 수는 $4\frac{1}{9}$입니다.

・건우: 자연수 부분이 2이고 분모가 9인 대분수

$2\frac{\square}{9}$ 중 가장 큰 수는 $2\frac{8}{9}$입니다.

➡ $4\frac{1}{9}-2\frac{8}{9}=3\frac{10}{9}-2\frac{8}{9}=1\frac{2}{9}$

심화 6 **1** (4일 동안 늦어지는 시간)

$=\frac{2}{3}+\frac{2}{3}+\frac{2}{3}+\frac{2}{3}=\frac{8}{3}=2\frac{2}{3}$(분)

2 1분=60초=20초+20초+20초이므로

$\frac{1}{3}$분은 20초이고 $\frac{2}{3}$분은 40초입니다.

따라서 $2\frac{2}{3}$분=2분 40초입니다.

3 4일 후 오후 3시에 이 시계는

오후 3시−2분 40초=오후 2시 57분 20초를 가리킵니다.

6-1 하루에 $2\frac{1}{6}$분씩 늦어지므로 3일 후에는

$2\frac{1}{6}+2\frac{1}{6}+2\frac{1}{6}=6\frac{3}{6}$(분) 늦어집니다.

➡ $6\frac{3}{6}$분=6분 30초이므로 3일 후 오후 4시에 이 시계가 가리키는 시각은

오후 4시−6분 30초=오후 3시 53분 30초입니다.

6-2 하루에 $1\frac{1}{60}$분씩 빨라지므로 5일 후에는

$1\frac{1}{60}+1\frac{1}{60}+1\frac{1}{60}+1\frac{1}{60}+1\frac{1}{60}$

$=5\frac{5}{60}$(분) 빨라집니다.

➡ $5\frac{5}{60}$분=5분 5초이므로 5일 후 낮 12시에 이 시계가 가리키는 시각은

낮 12시+5분 5초=오후 12시 5분 5초입니다.

주의

빨라지는 시계가 가리키는 시각은 정확한 시각에 빨라진 시간을 더해서 구합니다.

1 $\dfrac{9}{11}$　　　　　**2** $\dfrac{5}{13}$

3 3, 2　　　　　**4** $1\dfrac{1}{8}\left(=\dfrac{9}{8}\right)$

5 $6\dfrac{2}{5}$　　　　　**6** $<$

7 $5-2\dfrac{4}{6}=4\dfrac{6}{6}-2\dfrac{4}{6}=2\dfrac{2}{6}$

8 방법1 예 ❶ $7\dfrac{1}{3}-2\dfrac{2}{3}=6\dfrac{4}{3}-2\dfrac{2}{3}$

$$=(6-2)+\left(\dfrac{4}{3}-\dfrac{2}{3}\right)$$

$$=4+\dfrac{2}{3}=4\dfrac{2}{3}$$

방법2 예 ❷ $7\dfrac{1}{3}-2\dfrac{2}{3}=\dfrac{22}{3}-\dfrac{8}{3}=\dfrac{14}{3}=4\dfrac{2}{3}$

9 $\dfrac{9}{14}$

10 $10\dfrac{1}{2}+3\dfrac{1}{2}=14$ / 14 kg

11 $4\dfrac{2}{7}$, $1\dfrac{1}{7}$

12 $1-\dfrac{8}{10}=\dfrac{2}{10}$ / 미용실, $\dfrac{2}{10}$

13 $4\dfrac{3}{4}$ cm　　　**14** $4\dfrac{1}{6}$

15 ㉡, ㉠, ㉢　　　**16** $2\dfrac{1}{7}$

17 현주　　　　　**18** 2, 3, 4, 5, 6

19 예 ❶ 빵 1봉지를 만들면 남는 밀가루는

$$3\dfrac{1}{4}-1\dfrac{1}{4}=2 \text{ (kg)},$$

❷ 빵 2봉지를 만들면 남는 밀가루는

$$2-1\dfrac{1}{4}=\dfrac{3}{4} \text{ (kg)입니다.}$$

❸ 빵을 2봉지까지 만들 수 있고, 남는 밀가루는

$\dfrac{3}{4}$ kg입니다.　　　답 2봉지, $\dfrac{3}{4}$ kg

20 $\dfrac{2}{9}$, $\dfrac{3}{9}$　　　　**21** 7

22 예 ❶ (㉢~㉣)=(㉡~㉣)-(㉡~㉢)

$$=3\dfrac{6}{8}-1\dfrac{7}{8}=2\dfrac{14}{8}-1\dfrac{7}{8}$$

$$=1\dfrac{7}{8} \text{ (m)}$$

❷ (㉠~㉢)=(㉠~㉣)-(㉢~㉣)

$$=4\dfrac{1}{8}-1\dfrac{7}{8}=3\dfrac{9}{8}-1\dfrac{7}{8}=2\dfrac{2}{8} \text{ (m)}$$

답 $2\dfrac{2}{8}$ m

23 7, 5, 2, 4 / $5\dfrac{1}{8}$

24 $1\dfrac{7}{15}$　　　　**25** $1\dfrac{3}{8}$ kg

1 $\dfrac{6}{11}+\dfrac{3}{11}=\dfrac{6+3}{11}=\dfrac{9}{11}$

2 $\dfrac{12}{13}-\dfrac{7}{13}=\dfrac{12-7}{13}=\dfrac{5}{13}$

3 $8\dfrac{3}{7}-5\dfrac{1}{7}=(8-5)+\left(\dfrac{3}{7}-\dfrac{1}{7}\right)=3+\dfrac{2}{7}=3\dfrac{2}{7}$

4 $\dfrac{1}{8}$이 7개이면 $\dfrac{7}{8}$이고, $\dfrac{1}{8}$이 2개이면 $\dfrac{2}{8}$입니다.

➡ $\dfrac{7}{8}+\dfrac{2}{8}=\dfrac{9}{8}=1\dfrac{1}{8}$

5 $2\dfrac{4}{5}+3\dfrac{3}{5}=5+\dfrac{7}{5}=5+1\dfrac{2}{5}=6\dfrac{2}{5}$

6 $1\dfrac{5}{9}+\dfrac{15}{9}=\dfrac{14}{9}+\dfrac{15}{9}=\dfrac{29}{9}=3\dfrac{2}{9}$

➡ $3\dfrac{2}{9}<3\dfrac{7}{9}$

8

채점 기준		
❶ 분수의 뺄셈을 한 가지 방법으로 바르게 계산함.	2점	4점
❷ 분수의 뺄셈을 다른 한 가지 방법으로 바르게 계산함.	2점	

9 $1\dfrac{3}{14}=\dfrac{17}{14}$이므로 $1\dfrac{3}{14}>\dfrac{15}{14}>\dfrac{8}{14}$입니다.

➡ $1\dfrac{3}{14}-\dfrac{8}{14}=\dfrac{17}{14}-\dfrac{8}{14}=\dfrac{9}{14}$

10 (쌀의 무게)+(빈 항아리의 무게)

$$=10\dfrac{1}{2}+3\dfrac{1}{2}=13+\dfrac{2}{2}=14 \text{ (kg)}$$

11 ・$2\dfrac{4}{7}+1\dfrac{5}{7}=3+\dfrac{9}{7}=3+1\dfrac{2}{7}=4\dfrac{2}{7}$

・$4\dfrac{2}{7}-3\dfrac{1}{7}=(4-3)+\left(\dfrac{2}{7}-\dfrac{1}{7}\right)=1\dfrac{1}{7}$

12 $1 \text{ km} > \dfrac{8}{10} \text{ km}$이므로 미용실이 꽃집보다

$1 - \dfrac{8}{10} = \dfrac{10}{10} - \dfrac{8}{10} = \dfrac{2}{10} \text{ (km)}$ 더 멉니다.

13 (세로)$=$(가로)$-1\dfrac{2}{4}=6\dfrac{1}{4}-1\dfrac{2}{4}$

$\qquad\qquad =5\dfrac{5}{4}-1\dfrac{2}{4}=4\dfrac{3}{4} \text{ (cm)}$

14 $\square - \dfrac{5}{6} = 3\dfrac{2}{6}$

➡ $\square = 3\dfrac{2}{6} + \dfrac{5}{6} = 3 + \dfrac{7}{6} = 3 + 1\dfrac{1}{6} = 4\dfrac{1}{6}$

15 ㉠ $1\dfrac{1}{2} + 2\dfrac{1}{2} = 4$　　㉡ $7 - 2\dfrac{1}{2} = 4\dfrac{1}{2}$

㉢ $4\dfrac{1}{2} - 1\dfrac{1}{2} = 3$

➡ ㉡ $4\dfrac{1}{2} >$ ㉠ $4 >$ ㉢ 3

16 $\dfrac{3}{7}$보다 큰 분모가 7인 진분수는 $\dfrac{4}{7}$, $\dfrac{5}{7}$, $\dfrac{6}{7}$입니다.

➡ $\dfrac{4}{7} + \dfrac{5}{7} + \dfrac{6}{7} = \dfrac{9}{7} + \dfrac{6}{7} = \dfrac{15}{7} = 2\dfrac{1}{7}$

17 (승호가 사용하고 남은 리본의 길이)

$= 9 - 5\dfrac{1}{4} = 8\dfrac{4}{4} - 5\dfrac{1}{4} = 3\dfrac{3}{4} \text{ (m)}$

(현주가 사용하고 남은 리본의 길이)

$= 11 - 6\dfrac{2}{4} = 10\dfrac{4}{4} - 6\dfrac{2}{4} = 4\dfrac{2}{4} \text{ (m)}$

➡ $3\dfrac{3}{4} \text{ m} < 4\dfrac{2}{4} \text{ m}$이므로 현주가 사용하고 남은 리본이 더 깁니다.

18 $1 = \dfrac{6}{6}$, $2 = \dfrac{12}{6}$이고 $\dfrac{5}{6} + \dfrac{\square}{6} = \dfrac{5+\square}{6}$이므로

$\dfrac{6}{6} < \dfrac{5+\square}{6} < \dfrac{12}{6}$입니다.

$6 < 5+\square$에서 $1 < \square$, $5+\square < 12$에서 $\square < 7$입니다.

➡ $\square$ 안에 들어갈 수 있는 수는 1보다 크고 7보다 작은 수이므로 2, 3, 4, 5, 6입니다.

19 **채점 기준**

❶ 빵 1봉지를 만들고 남는 밀가루의 양을 구함.	1점	
❷ 빵 2봉지를 만들고 남는 밀가루의 양을 구함.	1점	4점
❸ 만들 수 있는 빵의 봉지 수와 남는 밀가루의 양을 구함.	2점	

20 분모가 9인 두 진분수에서 분자의 합은 5, 차는 1입니다.

합이 5, 차가 1인 두 수는 2와 3이므로

두 진분수는 $\dfrac{2}{9}$, $\dfrac{3}{9}$입니다.

21 자연수 부분끼리 계산하면 $3-2=1$이므로

분수 부분의 계산 $\dfrac{㉠}{5} - \dfrac{㉡}{5} = \dfrac{1}{5}$에서 $㉠-㉡=1$입니다.

대분수로만 만들어진 뺄셈식이므로 ㉠과 ㉡은 5보다 작은 자연수입니다.

따라서 $㉠=4$, $㉡=3$일 때 $㉠+㉡=4+3=7$로 가장 큽니다.

22 **채점 기준**

❶ ㉢에서 ㉣까지의 거리를 구함.(또는 ㉠에서 ㉡까지의 거리를 구함.)	2점	4점
❷ ㉠에서 ㉢까지의 거리를 구함.	2점	

다른 풀이

$(㉠\sim㉡) = (㉠\sim㉣) - (㉡\sim㉣)$

$\qquad = 4\dfrac{1}{8} - 3\dfrac{6}{8} = 3\dfrac{9}{8} - 3\dfrac{6}{8} = \dfrac{3}{8} \text{ (m)}$

$(㉠\sim㉢) = (㉠\sim㉡) + (㉡\sim㉢)$

$\qquad = \dfrac{3}{8} + 1\dfrac{7}{8} = 1 + \dfrac{10}{8} = 1 + 1\dfrac{2}{8} = 2\dfrac{2}{8} \text{ (m)}$

23 계산 결과가 가장 크려면 빼지는 수는 가장 크게, 빼는 수는 가장 작게 만들어야 합니다.

따라서 만들 수 있는 가장 큰 수 $7\dfrac{5}{8}$에서 가장 작은 수 $2\dfrac{4}{8}$를 빼면 $7\dfrac{5}{8} - 2\dfrac{4}{8} = 5\dfrac{1}{8}$입니다.

24 어떤 분수를 $\square$라 하면 $\square + 2\dfrac{7}{15} = 6\dfrac{6}{15}$입니다.

$\square = 6\dfrac{6}{15} - 2\dfrac{7}{15} = 5\dfrac{21}{15} - 2\dfrac{7}{15} = 3\dfrac{14}{15}$

따라서 바르게 계산하면 $3\dfrac{14}{15} - 2\dfrac{7}{15} = 1\dfrac{7}{15}$입니다.

25 양팔저울이 수평이 되었으므로 양쪽 접시 위에 올려놓은 물건의 무게가 같습니다.

$1\dfrac{5}{8} + 1\dfrac{5}{8} = 2 + \dfrac{10}{8} = 2 + 1\dfrac{2}{8} = 3\dfrac{2}{8} \text{ (kg)}$이므로

$\dfrac{15}{8} +$ (국어사전의 무게) $= 3\dfrac{2}{8}$입니다.

➡ (국어사전의 무게) $= 3\dfrac{2}{8} - \dfrac{15}{8} = \dfrac{26}{8} - \dfrac{15}{8}$

$\qquad\qquad\qquad\qquad = \dfrac{11}{8} = 1\dfrac{3}{8} \text{ (kg)}$

2 삼각형

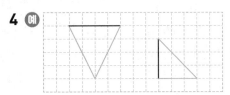
1 단계 **기본 유형 연습**
34~37쪽

1 가, 나, 다, 마   **2** 가, 마

3 (1) 7 (2) 5

4 예
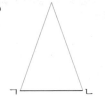

5 7

6
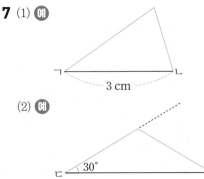

7 (1) 예

3 cm

(2) 예
30°

8 40°

9 예 나머지 한 각의 크기는 60°입니다. 크기가 같은 두 각이 없으므로 이등변삼각형이 아닙니다.

10 예
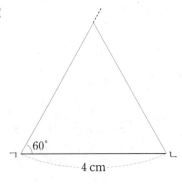
/ 같습니다에 ○표

11 60, 60

12
60°
4 cm

13 (1) 예   (2) 예
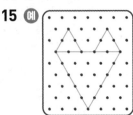

14 ㉡

15 예
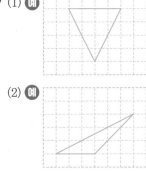

16 한에 ○표, 둔각

17 ( )( )(○)

18 가, 라, 사 / 나, 바 / 다, 마

19 (1) 예

(2) 예

20 둔각삼각형

21 예 한 각이 둔각이므로 예각삼각형이 아닙니다.

22 (1) 이등변삼각형 (2) 직각삼각형

23 (위부터) 라 / 바 / 가 / 마 / 나 / 다

---

1 두 변의 길이가 같은 삼각형을 찾습니다.

2 세 변의 길이가 같은 삼각형을 찾습니다.

4 두 변의 길이가 같도록 선분을 그려 이등변삼각형을 완성합니다.

6 선분 ㄱㄴ의 양 끝에 크기가 70°인 각을 그립니다.

7 (1) 주어진 3 cm의 변과 길이가 같은 변을 그려 이등변삼각형을 완성합니다.
(2) 주어진 30°의 각과 크기가 같은 각을 그려 이등변삼각형을 완성합니다.

8 (각 ㄱㄴㄷ)+(각 ㄱㄷㄴ)=180°−100°
=80°
삼각형 ㄱㄴㄷ이 이등변삼각형이므로
(각 ㄱㄴㄷ)=(각 ㄱㄷㄴ)입니다.
➡ (각 ㄱㄴㄷ)=80°÷2=40°

9

삼각형의 세 각의 크기의 합은 $180°$이므로
(나머지 한 각의 크기)$=180°-40°-80°=60°$입니다.

12 세 각의 크기가 모두 $60°$로 같으므로 점 ㄴ을 각의 꼭짓점으로 하여 $60°$인 각을 그립니다.

13 (1) 주어진 선분의 길이를 잰 후 그 길이만큼 컴퍼스를 벌려 선분의 각 끝점에서 원을 그려 만나는 점과 선을 잇습니다.

(2) 주어진 선분의 양 끝에 크기가 $60°$인 각을 그린 후 두 각의 변이 만나는 점을 찾아 선분의 양 끝과 연결합니다.

14 ⓒ 한 각이 직각인 삼각형은 세 각의 크기가 모두 같지 않으므로 정삼각형이 아닙니다.

15 점 종이에 다양한 크기의 정삼각형을 그려 모양을 만들어 봅니다.

20 $40°$: 예각, $95°$: 둔각, $45°$: 예각
➡ 한 각이 둔각이므로 둔각삼각형입니다.

21

38~39쪽 1단계 기본 + 유형 연습

1-1 9	**1**-2 6
1-3 14 cm	
2-1 120	**2**-2 40
2-3 75°	
3-1 ⓒ	**3**-2 ㉠
3-3 ㉠	
4-1 16 cm	**4**-2 20 cm
4-3 28 cm	

1-1 정삼각형은 세 변의 길이가 모두 같습니다.
➡ $27÷3=9$ (cm)

1-2 정삼각형은 세 변의 길이가 모두 같습니다.
➡ $18÷3=6$ (cm)

1-3 정삼각형은 세 변의 길이가 모두 같습니다.
➡ $42÷3=14$ (cm)

2-1 이등변삼각형은 두 각의 크기가 같습니다.
➡ $□+30°+30°=180°$,
$□=180°-30°-30°=120°$

2-2 이등변삼각형은 두 각의 크기가 같습니다.
➡ $□+70°+70°=180°$,
$□=180°-70°-70°=40°$

2-3 이등변삼각형은 두 각의 크기가 같으므로 ㉠$=35°$입니다.
ⓒ$=180°-35°-35°=110°$
➡ ⓒ$-$㉠$=110°-35°=75°$

3-1 ㉠ (나머지 한 각의 크기)$=180°-45°-30°=105°$
ⓒ (나머지 한 각의 크기)$=180°-50°-65°=65°$
➡ 세 각이 모두 예각인 삼각형은 ⓒ입니다.

3-2 ㉠ (나머지 한 각의 크기)$=180°-20°-75°=85°$
ⓒ (나머지 한 각의 크기)$=180°-35°-45°=100°$
➡ 세 각이 모두 예각인 삼각형은 ㉠입니다.

3-3 ㉠ (나머지 한 각의 크기)$=180°-60°-25°=95°$
ⓒ (나머지 한 각의 크기)$=180°-55°-50°=75°$
➡ 한 각이 둔각인 삼각형은 ㉠입니다.

4-1 (변 ㄱㄴ)$=$(변 ㄴㄷ)$=$(변 ㄱㄷ)$=3$ cm,
(변 ㄷㄹ)$=$(변 ㄱㄹ)$=5$ cm
➡ (사각형 ㄱㄴㄷㄹ의 네 변의 길이의 합)
$=3+3+5+5=16$ (cm)

4-2 (변 ㄴㄱ)$=$(변 ㄴㄷ)$=4$ cm,
(변 ㄱㄹ)$=$(변 ㄷㄹ)$=$(변 ㄱㄷ)$=6$ cm
➡ (사각형 ㄱㄴㄷㄹ의 네 변의 길이의 합)
$=4+4+6+6=20$ (cm)

4-3 (변 ㄴㄱ)$=$(변 ㄴㄷ)$=9$ cm,
(변 ㄱㄹ)$=$(변 ㄷㄹ)$=$(변 ㄱㄷ)$=5$ cm
➡ (사각형 ㄱㄴㄷㄹ의 네 변의 길이의 합)
$=9+9+5+5=28$ (cm)

정답과 해설

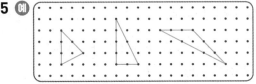

40~43쪽 2단계 실력 유형 연습

1 (위부터) ⑴ 65, 11 ⑵ 7, 60

2 (위부터) 둔, 직, 예 / 직, 예, 둔

3 1개, 2개

4 ⑤

5 예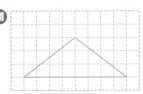

6 120°

7 4

8 120°

9 예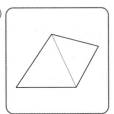

10 같은 점 예 세 각의 크기가 모두 60°로 같습니다. (또는 각 삼각형의 세 변의 길이가 같습니다.)
다른 점 예 세 삼각형의 한 변의 길이가 서로 다릅니다.

11 ㄹ

12 ⑴ 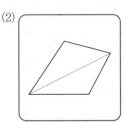 ⑵

13 30 cm

14 ⑴ ㉡, ㉢, ㉧, ㉨ / ㉣, ㉤, ㉥ ⑵ 1개

15 25°

---

1 참고
• 이등변삼각형의 성질
⑴ 두 변의 길이가 같습니다.
⑵ 길이가 같은 두 변에 있는 두 각의 크기가 같습니다.
• 정삼각형의 성질
⑴ 세 변의 길이가 같습니다.
⑵ 세 각의 크기가 60°로 같습니다.

2 예각삼각형: 세 각이 모두 예각인 삼각형
직각삼각형: 한 각이 직각인 삼가형
둔각삼각형: 한 각이 둔각인 삼각형

---

3 ➡ 예각삼각형: 1개, 둔각삼각형: 2개

4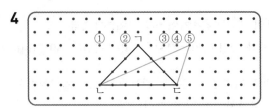

한 각이 둔각이 되어야 하므로 점 ㄱ을 ⑤로 옮깁니다.

6 ➡ ㉠=60°+60°=120°

7 두 각의 크기가 같으므로 이등변삼각형입니다.
➡ □=16-6-6=4 (cm)

8 삼각형 ㄱㄴㄷ은 정삼각형이므로 (각 ㄱㄷㄴ)=60°입니다.
➡ (각 ㄱㄷㄹ)=180°-60°=120°

9 한 각이 둔각인 이등변삼각형을 그립니다.

10 평가 기준
세 삼각형의 변의 길이와 각의 크기를 비교하여 같은 점과 다른 점을 바르게 썼으면 정답입니다.

11 • 세 변의 길이가 모두 같으므로 ㉠ 정삼각형이고, ㉢ 이등변삼각형입니다.
• 세 각의 크기가 모두 60°이므로 ㉡ 예각삼각형입니다.

12 ⑴ 세 각이 모두 예각인 삼각형이 2개가 되도록 만듭니다.
⑵ 한 각이 둔각인 삼각형이 2개가 되도록 만듭니다.

13 정삼각형의 한 변의 길이는 9÷3=3 (cm)입니다.
빨간 선의 길이는 정삼각형의 한 변이 10개이므로 3×10=30 (cm)입니다.

14 ⑵ (예각삼각형의 수)-(둔각삼각형의 수)
=4-3=1(개)

15 삼각형 ㄱㄴㄹ은 이등변삼각형이므로
(각 ㄴㄱㄹ)+(각 ㄴㄹㄱ)=180°-80°=100°
➡ (각 ㄴㄹㄱ)=100°÷2=50°
(각 ㄴㄹㄷ)=180°-50°=130°이므로
(각 ㄹㄴㄷ)+(각 ㄹㄷㄴ)=180°-130°=50°
➡ (각 ㄴㄷㄹ)=50°÷2=25°

정답과 해설

심화 1	① 40°	② ㉠, ㉣
1-1 ㉠, ㉢		**1**-2 ㉠, ㉣
심화 2	① 15 cm	② 7 cm
2-1 7 cm		**2**-2 10 cm
심화 3	① 7 cm, 7 cm, 4 cm	② 18 cm
3-1 18 cm		**3**-2 14 cm
심화 4	① 120°	② 60° ③ 60°
4-1 70°		**4**-2 100°
심화 5	① 69°	② 35° ③ 76°
5-1 68°		**5**-2 86°
심화 6	① 13개	② 3개 ③ 1개 ④ 17개
6-1 14개		**6**-2 20개

심화 1 ① (나머지 한 각의 크기)$=180°-100°-40°$
$=40°$

② 두 각의 크기가 같으므로 이등변삼각형이고, 한 각이 둔각이므로 둔각삼각형입니다.

1-1 (나머지 한 각의 크기)$=180°-50°-65°$
$=65°$

➡ 두 각의 크기가 같으므로 이등변삼각형이고, 세 각이 모두 예각이므로 예각삼각형입니다.

1-2 (나머지 한 각의 크기)$=180°-45°-45°$
$=90°$

➡ 두 각의 크기가 같으므로 이등변삼각형이고, 한 각이 직각이므로 직각삼각형입니다.

심화 2 ① (정삼각형의 세 변의 길이의 합)
$=5+5+5=15$ (cm)

② (이등변삼각형을 만드는 데 사용한 철사의 길이)
$=30-15=15$ (cm)
➡ ㉠$=15-4-4=7$ (cm)

2-1 (정삼각형을 만드는 데 사용한 끈의 길이)
$=7+7+7=21$ (cm)
(이등변삼각형을 만드는 데 사용한 끈의 길이)
$=40-21=19$ (cm)
➡ ㉠쪽$=19-6-6=7$ (cm)

2-2 (정삼각형을 만드는 데 사용한 끈의 길이)
$=9+9+9=27$ (cm)
(이등변삼각형을 만드는 데 사용한 끈의 길이)
$=53-27=26$ (cm)
➡ ㉠$=26-8-8=10$ (cm)

심화 3 ① 이등변삼각형에서 길이가 같은 두 변의 길이는 7 cm입니다.

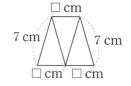

나머지 한 변의 길이를 □ cm라 하면
□$+7+$□$+$□$+7=26$이므로
□$+$□$+$□$=12$, □$=4$ (cm)입니다.

② (이등변삼각형 1개의 세 변의 길이의 합)
$=7+7+4=18$ (cm)

3-1 이등변삼각형에서 길이가 같은 두 변의 길이는 5 cm입니다.

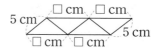

나머지 한 변의 길이를 □ cm라 하면
$5+$□$+$□$+5+$□$+$□$=42$이므로
□$+$□$+$□$+$□$=32$, □$=8$ (cm)입니다.
➡ (이등변삼각형 1개의 세 변의 길이의 합)
$=5+5+8=18$ (cm)

3-2 이등변삼각형에서 한 변의 길이는 4 cm입니다.

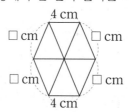

나머지 두 변의 길이가 같으므로 각각 □ cm라 하면
$4+$□$+$□$+4+$□$+$□$=28$이므로
□$+$□$+$□$+$□$=20$, □$=5$ (cm)입니다.
➡ (이등변삼각형 1개의 세 변의 길이의 합)
$=5+5+4=14$ (cm)

심화 4 ① 삼각형 ㄹㄴㄷ이 이등변삼각형이므로
(각 ㄴㄷㄹ)$=180°-30°-30°=120°$입니다.

② 삼각형 ㄱㄴㄷ이 정삼각형이므로
(각 ㄴㄷㄱ)$=60°$입니다.

③ (각 ㄱㄷㄹ)$=$(각 ㄴㄷㄹ)$-$(각 ㄴㄷㄱ)
$=120°-60°=60°$

정답과 해설

4-1 삼각형 ㄱㄴㄷ이 이등변삼각형이므로
(각 ㄱㄴㄷ)=$180°-25°-25°=130°$이고
삼각형 ㄹㄴㄷ이 정삼각형이므로
(각 ㄹㄴㄷ)=$60°$입니다.
➡ (각 ㄱㄴㄹ)=(각 ㄱㄴㄷ)-(각 ㄹㄴㄷ)
$\qquad\qquad=130°-60°=70°$

4-2 삼각형 ㄹㄴㄷ이 이등변삼각형이므로
(각 ㄴㄷㄹ)=$180°-40°-40°=100°$이고
삼각형 ㄱㄴㄷ이 정삼각형이므로
(각 ㄴㄷㄱ)=$60°$입니다.
➡ (각 ㄱㄷㄹ)=$100°-60°=40°$이므로
(각 ㄹㅁㄷ)=$180°-40°-40°=100°$입니다.

심화 5
1 (각 ㄱㄷㄴ)+(각 ㄴㄱㄷ)
$\qquad=180°-42°=138°$이므로
(각 ㄱㄷㄴ)=$138°÷2=69°$입니다.
2 (각 ㅁㄷㄹ)+(각 ㄷㅁㄹ)
$\qquad=180°-110°=70°$이므로
(각 ㅁㄷㄹ)=$70°÷2=35°$입니다.
3 (각 ㄱㄷㅁ)=$180°-69°-35°=76°$

5-1 (각 ㄱㄷㄴ)+(각 ㄴㄱㄷ)
$\qquad=180°-100°=80°$이므로
(각 ㄱㄷㄴ)=$80°÷2=40°$입니다.
(각 ㅁㄷㄹ)+(각 ㄷㅁㄹ)=$180°-36°=144°$이므로
(각 ㅁㄷㄹ)=$144°÷2=72°$입니다.
➡ (각 ㄱㄷㅁ)=$180°-40°-72°=68°$

5-2 (각 ㄱㄷㄴ)+(각 ㄴㄱㄷ)=$180°-74°=106°$이므로
(각 ㄱㄷㄴ)=$106°÷2=53°$입니다.
(각 ㅁㄷㄹ)+(각 ㄷㅁㄹ)=$180°-98°=82°$이므로
(각 ㅁㄷㄹ)=$82°÷2=41°$입니다.
➡ (각 ㄱㄷㅁ)=$180°-53°-41°=86°$

심화 6
1 △: 12개, ▽: 1개
➡ $12+1=13$(개)
2 : 3개
3 : 1개
4 $13+3+1=17$(개)

6-1 삼각형 1개짜리: 12개, 삼각형 4개짜리: 1개,
삼각형 6개짜리: 1개
➡ $12+1+1=14$(개)

6-2 삼각형 1개짜리: 12개, 삼각형 4개짜리: 6개,
삼각형 9개짜리: 2개
➡ $12+6+2=20$(개)

50~53쪽 Test 단원 실력 평가

1 세에 ○표, 예각

2 (1) 둔 (2) 예

3 가, 다, 라

4 라

5 8, 40

6 60

7 ②

8 직각삼각형, 이등변삼각형에 ○표

9 2개

10 예 (나머지 한 각의 크기)=$180°-60°-60°=60°$
세 각이 $60°$로 같으므로 정삼각형입니다.

11

12 39 cm

13 ㉡

14 예

15 $30°$ **16** 24 cm

17 $130°$

18 예 ❶ (나머지 한 각의 크기)
$\qquad=180°-65°-40°=75°$
❷ 세 각이 모두 예각이므로 예각삼각형입니다.
답 예각삼각형

19 20 cm

20 68 cm

21 4개

22 예 ❶ (변 ㄱㄴ)+(변 ㄱㄹ)
$\qquad=26-8-8=10$ (cm)
❷ (변 ㄱㄴ)=(변 ㄱㄹ)이므로
(변 ㄱㄴ)=$10÷2=5$ (cm)입니다.
답 5 cm

23 $50°$

24 둔각삼각형

25 $150°$

14

2 (1) 한 각이 둔각이므로 둔각삼각형입니다.

(2) 세 각이 모두 예각이므로 예각삼각형입니다.

3 두 변의 길이가 같은 삼각형을 모두 찾으면 가, 다, 라 입니다.

4 가, 다, 라 중에서 한 각이 둔각인 삼각형은 라입니다.

7

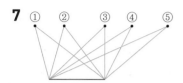

②: 예각삼각형, ③: 직각삼각형

①, ④, ⑤: 둔각삼각형

8 한 각이 직각이므로 직각삼각형이고, 두 변의 길이가 같으므로 이등변삼각형입니다.

9

예각삼각형: 1개

직각삼각형: 3개

둔각삼각형: 2개

10

12 정삼각형은 세 변의 길이가 같습니다.

➡ (세 변의 길이의 합)$=13+13+13$

$=39$ (cm)

13 ㉠ 둔각삼각형은 한 각이 둔각인 삼각형입니다.

㉢ 이등변삼각형은 세 변의 길이가 모두 같지 않으므로 정삼각형이라고 할 수 없습니다.

㉣ 이등변삼각형에는 예각삼각형, 직각삼각형, 둔각삼각형이 있습니다.

15 (각 ㄱㄷㄴ)$=$(각 ㄱㄴㄷ)$=75°$

➡ (각 ㄴㄱㄷ)$=180°-75°-75°=30°$

16 잘라서 펼친 삼각형은 오른쪽 그림과 같은 이등변삼각형이 됩니다.

9 cm 9 cm

6 cm

➡ (세 변의 길이의 합)

$=9+6+9=24$ (cm)

17 삼각형 ㄱㄴㄷ이 이등변삼각형이므로

(각 ㄱㄷㄴ)$+$(각 ㄱㄴㄷ)$=180°-80°=100°$입니다.

➡ (각 ㄱㄷㄴ)$=100°÷2=50°$이므로

㉠$=180°-50°=130°$입니다.

18

19 $11+11+㉠+9+9+㉡=60$

➡ $㉠+㉡=20$ (cm)

20 (변 ㄱㄴ)$=$(변 ㄱㄷ)$=20$ cm,

(변 ㄹㄷ)$=$(변 ㄹㄴ)$=14$ cm

➡ (빨간 선의 길이)

$=20+14+14+20=68$ (cm)

21

삼각형 1개짜리: ② → 1개

삼각형 2개짜리: ①②, ②③ → 2개

삼각형 3개짜리: ①②③ → 1개

➡ $1+2+1=4$(개)

22

23 직사각형의 한 각의 크기는 $90°$이므로

(각 ㅁㄹㄷ)$=90°-25°=65°$입니다.

(각 ㅁㄷㄹ)$=$(각 ㅁㄹㄷ)$=65°$이므로

(각 ㄹㅁㄷ)$=180°-65°-65°=50°$입니다.

24 삼각형 ㄹㄴㄷ에서

(각 ㄴㄹㄷ)$=180°-32°-28°=120°$입니다.

(각 ㄱㄹㄴ)$=180°-120°=60°$이고

삼각형 ㄱㄴㄹ이 이등변삼각형이므로

(각 ㄱㄴㄹ)$=$(각 ㄴㄱㄹ)$=120°÷2=60°$입니다.

➡ (각 ㄱㄴㄷ)$=60°+32°=92°$

따라서 삼각형 ㄱㄴㄷ의 세 각의 크기는 $60°$, $92°$, $28°$ 이므로 한 각이 둔각인 둔각삼각형입니다.

25 (각 ㅁㄷㄹ)$=60°$이므로

(각 ㄱㄷㅁ)$=90°-60°=30°$,

(각 ㄱㅁㄷ)$+$(각 ㄴㄱㅁ)$=180°-30°=150°$,

(각 ㄱㅁㄷ)$=150°÷2=75°$입니다.

같은 방법으로 (각 ㄹㅁㄷ)$=75°$이므로

(각 ㄱㅁㄹ)$=360°-75°-60°-75°=150°$입니다.

③ **소수의 덧셈과 뺄셈**

1단계 기본 유형 연습   58~61쪽

1 $\dfrac{37}{100}$, 0.37

2 소수 둘째, 0.01

3 (교차 연결선)

4 (1) 6.54 (2) 18.64

5 (　)(　)(○)

6 0.22, 3.06　　**7** 1.32 m

8 0.724, 영 점 칠이사

9 5.072　　**10** 9, 0.009

11 ㉢

12 0.259, 0.268, 0.358

13 ③　　**14** 0.207 km

15 예  / <

16 0.01̸0, 13.75̸0, 8.10̸0̸

17 >　　**18** 0.086

19 7, 8에 ○표　　**20** 상민

21 서점

22 (위부터) 0.3, 6, 2.31, 231

23 100

24 0.135, 135

25 민재　　**26** 1000배

27 56.7 kg　　**28** 0.801 m

1 모눈 한 칸의 크기는 $\dfrac{1}{100}$이고 37칸이 색칠되어 있으므로

$\dfrac{37}{100}$입니다. ➡ $\dfrac{37}{100}$=0.37

5 2.08 ➡ 일의 자리 숫자가 2입니다.
4.29 ➡ 소수 첫째 자리 숫자가 2입니다.
0.32 ➡ 소수 둘째 자리 숫자가 2입니다.

6 수직선에서 눈금 한 칸의 크기는 0.01을 나타냅니다.
㉠은 0.2에서 2칸 더 간 곳으로 0.22,
㉡은 3.0에서 6칸 더 간 곳으로 3.06입니다.

7 32 cm=$\dfrac{32}{100}$ m=0.32 m

➡ 1과 0.32는 1.32이므로 미진이의 키는 1.32 m입니다.

8 0.1이 7개이면 0.7, 0.01이 2개이면 0.02, 0.001이 4개이면 0.004이므로 0.724이고 영 점 칠이사라고 읽습니다.

9 참고
일의 자리 숫자가 ■, 소수 첫째 자리 숫자가 ▲, 소수 둘째 자리 숫자가 ●, 소수 셋째 자리 숫자가 ★인 소수 세 자리 수는 ■.▲●★입니다.

10 4 . 1 5 9
→ 일의 자리 숫자, 나타내는 수: 4
→ 소수 첫째 자리 숫자, 나타내는 수: 0.1
→ 소수 둘째 자리 숫자, 나타내는 수: 0.05
→ 소수 셋째 자리 숫자, 나타내는 수: 0.009

11 ㉢ 1.063은 일 점 영육삼이라고 읽습니다.

12 소수 셋째 자리 숫자가 8이므로 0.001 큰 수는 0.259,
소수 둘째 자리 숫자가 5이므로 0.01 큰 수는 0.268,
소수 첫째 자리 숫자가 2이므로 0.1 큰 수는 0.358입니다.

13 ①, ②, ④, ⑤: 0.005
③: 0.05

14 1 m=0.001 km이고 207 m는 0.001 km가 207개이므로 207 m=0.207 km입니다.

15 0.58은 0.01이 58개, 0.63은 0.01이 63개입니다.
➡ 0.58<0.63

16 소수에서 끝자리에 있는 0은 생략하여 나타낼 수 있습니다.

주의
0.01̸0, 3.05̸, 50.11과 같이 지우지 않도록 주의합니다.

18 일의 자리 수가 0이고 소수 첫째 자리 수가 4보다 작은 수를 찾습니다.
➡ 0.086<0.4

19 일의 자리 수, 소수 첫째 자리 수가 같으므로 소수 둘째 자리 수를 비교하면 6<□입니다.
주어진 수 중에서 6보다 큰 수는 7, 8입니다.

20 24.05<24.19이므로 기록이 더 빠른 사람은 상민입니다.
（0<1）

21 0.69 > 0.682이므로 학교에서 더 가까운 곳은 서점입
　　└9>8┘
니다.

23 0.015는 1.5의 소수점을 기준으로 수가 오른쪽으로

두 자리 이동하였으므로 $\dfrac{1}{100}$입니다.

24 ・13.5의 $\dfrac{1}{100}$은 13.5에서 소수점을 기준으로 수가

오른쪽으로 두 자리 이동하므로 0.135입니다.

・13.5의 10배는 13.5에서 소수점을 기준으로 수가

왼쪽으로 한 자리 이동하므로 135입니다.

25 서아: 7.81의 10배는 소수점을 기준으로 수가 왼쪽으

로 한 자리 이동하므로 78.1입니다.

26 ㉠이 나타내는 수는 3이고 ㉡이 나타내는 수는 0.003

입니다.

➡ 3은 0.003의 1000배입니다.

참고

같은 숫자라도 어느 자리에 있느냐에 따라 나타내는 수가
다릅니다.

27 5.67의 10배는 소수점을 기준으로 수가 왼쪽으로 한

자리 이동하면 56.7입니다.

따라서 과일 가게에 있는 배의 무게는 56.7 kg입니다.

28 8.01의 $\dfrac{1}{10}$을 구하면 소수점을 기준으로 수가 오른쪽으로

한 자리 이동하므로 0.801입니다.

따라서 소유가 동생에게 줄 리본은 0.801 m입니다.

62~63쪽 **1**단계 기본 ➕ 유형 연습

1-1 ㉡
1-2 ㉣
1-3 ㉢
2-1 0.249　　　　**2**-2 0.056
2-3 12.08
3-1 0.77, 0.78, 0.79　　**3**-2 0.38, 0.39
3-3 0.51, 0.52, 0.53, 0.54
4-1 우현　　　　**4**-2 다희
4-3 들기름

1-1 ㉠ 1.68 → 0.6　　　㉡ 6.41 → 6
　　㉢ 3.064 → 0.06　　㉣ 0.726 → 0.006
➡ 6이 나타내는 수가 가장 큰 것은 ㉡입니다.

1-2 ㉠ 2.43 → 0.03　　　㉡ 0.093 → 0.003
　　㉢ 1.503 → 0.003　　㉣ 0.37 → 0.3
➡ 3이 나타내는 수가 가장 큰 것은 ㉣입니다.

1-3 ㉠ 0.17 → 0.07　　　㉡ 0.764 → 0.7
　　㉢ 4.097 → 0.007　　㉣ 7.1 → 7
➡ 7이 나타내는 수가 가장 작은 것은 ㉢입니다.

2-1 1이 2개, 0.1이 4개, 0.01이 9개인 수는 2.49입니다.

2.49의 $\dfrac{1}{10}$은 0.249입니다.

2-2 1이 5개, 0.1이 6개인 수는 5.6입니다.

5.6의 $\dfrac{1}{100}$은 0.056입니다.

2-3 1이 1개, 0.1이 2개, 0.001이 8개인 수는 1.208입

니다.

1.208의 10배는 12.08입니다

3-1 $\dfrac{1}{100}$이 76개인 수를 소수로 나타내면 0.76입니다.

0.76과 0.8 사이에 있는 소수 두 자리 수는

0.77, 0.78, 0.79입니다.

3-2 $\dfrac{1}{100}$이 37개인 수를 소수로 나타내면 0.37입니다.

0.37과 0.4 사이에 있는 소수 두 자리 수는

0.38, 0.39입니다.

3-3 $\dfrac{1}{10}$이 5개인 수를 소수로 나타내면 0.5입니다.

0.5와 0.55 사이에 있는 소수 두 자리 수는

0.51, 0.52, 0.53, 0.54입니다.

4-1 270.4 m의 $\dfrac{1}{100}$은 2.704 m입니다.

➡ 2.704 m < 27 m이므로 우현이가 가지고 있는

털실의 길이가 더 깁니다.

4-2 1.5 L의 $\dfrac{1}{10}$은 0.15 L입니다.

➡ 0.15 L < 0.2 L이므로 다희가 주스를 더 많이

마셨습니다.

4-3 0.954 L의 10배는 9.54 L입니다.

➡ 9.54 L > 9.08 L이므로 들기름이 더 적게 있습니다.

정답과 해설

1 5.276, 오 점 이칠육

2 1000배

3 0.68 m

4 0.49 kg

5 땅콩

6 (예) 0.78은 0.01이 78개인 수이고 0.8은 0.01이 80개인 수이기 때문이야.

7 (1) 0.96 km   (2) 지원

---

1 1이 5개이면 5, 0.1이 2개이면 0.2, 0.001이 76개이면 0.076입니다.
➡ 5.276(오 점 이칠육)

2 ㉠이 나타내는 수는 8이고 ㉡이 나타내는 수는 0.008 입니다.
➡ 8은 0.008의 1000배입니다.

3 수직선에서 눈금 한 칸의 크기는 0.01 m이고 0.6 m에서 8칸 더 간 곳은 0.68 m이므로 정수가 사용한 리본은 0.68 m입니다.

4 똑같이 10도막으로 잘랐으므로 나무 막대 1도막의 무게는 4.9 kg의 $\frac{1}{10}$입니다.
➡ 4.9 kg의 $\frac{1}{10}$은 0.49 kg입니다.

5
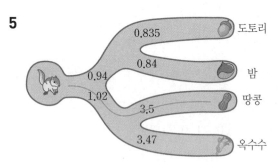
➡ 0.94<1.02, 3.5>3.47이므로 다람쥐가 도착한 곳에는 땅콩이 있습니다.

6 0.78은 0.01이 78개인 수이고 0.8은 0.01이 80개인 수입니다. 78<80이므로 0.8이 0.78보다 큰 소수입니다.

7 (1) $\frac{96}{100}=0.96$
(2) 0.96 km<1.15 km<1.2 km이므로 집에서 학교까지의 거리가 가장 가까운 사람은 지원입니다.

---

1 (예)  / 0.8

2 0.4, 0.7

3
$$\begin{array}{r} 0.9 \\ +\,1.9 \\ \hline \end{array} \Rightarrow \begin{array}{r} \boxed{1}\ \ \ \ \\ 0.9 \\ +\,1.9 \\ \hline \boxed{8} \end{array} \Rightarrow \begin{array}{r} \boxed{1}\ \ \ \ \\ 0.9 \\ +\,1.9 \\ \hline \boxed{2}.\boxed{8} \end{array}$$

4 4.5   **5** <

6 1.4+1.1=2.5 / 2.5 km

7 3.6+0.5=4.1 / 4.1 L

8 0.5   **9** 0.6, 0.8

10 (1) 0.5 (2) 3.5   **11** 1.7

12 0.3   **13** 2.1

14 9.8−7.2=2.6 / 2.6 m

15 1.5−0.9=0.6 / 0.6 L

16 0.28, 0.5, 0.78

17 (1) 0.55 (2) 3.94

18 0.93   **19** 5.78

20
$$\begin{array}{r} 2.5\ 8 \\ +\,0.7\ \ \ \\ \hline 3.2\ 8 \end{array}$$
21

22 0.29+0.38=0.67 / 0.67 kg

23 4.12+3.76=7.88 / 7.88 km

24 (예) 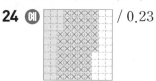 / 0.23

25
$$\begin{array}{r} \boxed{1}\ \ \boxed{12}\ \boxed{10} \\ 2.\cancel{3}\ \ \ 4 \\ -\,1.6\ \ \ 9 \\ \hline \boxed{0}.\boxed{6}\ \boxed{5} \end{array}$$

26 (1) 5.31 (2) 2.62

27 3.26

28 1.11, 2.29

29 ㉡

30 0.84−0.65=0.19 / 0.19 m

31 43.59−12.46=31.13 / 31.13 km

---

1 0.2+0.6은 0.1이 2+6=8(개)이므로 0.8입니다.

2 0.3만큼 간 다음 0.4만큼 더 가면 0.7이 됩니다.

3 소수 첫째 자리 수끼리의 합이 10이거나 10보다 크면 일의 자리로 받아올림합니다.

4 $1.7+2.8=4.5$

5 $0.4+0.5=0.9 \Rightarrow 0.9<1$

6 (집에서 도서관까지의 거리)
$\quad$ $+$(도서관에서 학교까지의 거리)
$\quad$ $=1.4+1.1=2.5$ (km)

7 (처음에 있던 소금물의 양)$+$(더 넣은 소금물의 양)
$\quad$ $=3.6+0.5=4.1$ (L)

8 $0.9-0.4$는 0.1이 $9-4=5$(개)이므로 0.5입니다.

9 $1.4-0.6$은 0.1이 $14-6=8$(개)이므로 0.8입니다.

11 $2.9-1.2=1.7$

12 $\square=0.8-0.5=0.3$

13 $5-2.9=2.1$

14 $9.8-7.2=2.6$ (m)

15 (처음에 있던 주스의 양)$-$(마신 주스의 양)
$\quad$ $=1.5-0.9=0.6$ (L)

16 0.28은 0.01이 28개, 0.5는 0.01이 50개입니다.
따라서 $0.28+0.5$는 0.01이 $28+50=78$(개)이므로 0.78입니다.

17 (2)
$$\begin{array}{r} 1 \\ 1.8\ 9 \\ +\ 2.0\ 5 \\ \hline 3.9\ 4 \end{array}$$

18
$$\begin{array}{r} 1 \\ 0.3\ 7 \\ +\ 0.5\ 6 \\ \hline 0.9\ 3 \end{array}$$

19 $5.33+0.45=5.78$

20 소수점의 자리를 잘못 맞추어 계산했습니다.

21 $0.18+0.4=0.58$
$\quad 0.35+0.83=1.18$

22 (참외 1개의 무게)$+$(사과 1개의 무게)
$\quad$ $=0.29+0.38=0.67$ (kg)

23 (등산로 입구~약수터)$+$(약수터~정상)
$\quad$ $=4.12+3.76=7.88$ (km)

24 남은 부분은 0.01이 $76-53=23$(개)이므로 0.23입니다.

25 받아내림에 주의하며 계산합니다.

26 (2)
$$\begin{array}{r} {\scriptstyle 5\ 10\ 10} \\ \not{6}.\not{1} \\ -\ 3.4\ 8 \\ \hline 2.6\ 2 \end{array}$$

27 $4.1<7.36 \Rightarrow 7.36-4.1=3.26$

28
$$\begin{array}{r} 1.2\ 5 \\ -\ 0.1\ 4 \\ \hline 1.1\ 1 \end{array} \qquad \begin{array}{r} {\scriptstyle 4\ 10} \\ 7.\not{5}\ 4 \\ -\ 5.2\ 5 \\ \hline 2.2\ 9 \end{array}$$

29 ㉠ $0.6-0.27=0.33$, ㉡ $3.34-2.91=0.43$
$\quad \Rightarrow$ ㉠ $0.33<$ ㉡ 0.43

30 (가로)$-$(세로)$=0.84-0.65$
$\qquad\qquad\qquad =0.19$ (m)

31 (할머니 댁까지의 거리)$-$(기차를 탄 거리)
$\quad$ $=43.59-12.46=31.13$ (km)

70~71쪽 **1**단계 기본 ➕ 유형 연습

5-1 7.3	**5-2** 2.18
5-3 1.92	
6-1 1.89 L	**6-2** 3.48 kg
6-3 파란색 리본, 0.07 m	
7-1 3.7	**7-2** 2.23
7-3 4.27	
8-1 12.81	**8-2** 5.19
8-3 9.54	

5-1 ㉠ 1이 4개, 0.1이 6개인 수: 4.6
$\quad$ ㉡ 1이 2개, 0.1이 7개인 수: 2.7
$\quad \Rightarrow 4.6+2.7=7.3$

정답과 해설

5-2 ㉠ 0.1이 3개, 0.01이 8개인 수: 0.38
ㄴ 1이 1개, 0.1이 8개인 수: 1.8
➡ 0.38+1.8=2.18

5-3 ㉠ 1이 2개, 0.1이 5개, 0.01이 3개인 수: 2.53
ㄴ 0.1이 6개, 0.01이 1개인 수: 0.61
➡ 2.53-0.61=1.92

6-1 450 mL=0.45 L
(물통에 들어 있는 물의 양)
=(들어 있던 물의 양)+(더 부은 물의 양)
=1.44+0.45=1.89 (L)

6-2 580 g=0.58 kg
(조각품을 담은 상자의 무게)
=(상자의 무게)+(조각품의 무게)
=0.58+2.9=3.48 (kg)

6-3 174 cm=1.74 m
1.67 m<1.74 m이므로 파란색 리본이
1.74-1.67=0.07 (m) 더 깁니다.

7-1 6.2-2.4=3.8이므로 3.8>□입니다.
□ 안에 들어갈 수 있는 소수 한 자리 수는 3.7, 3.6,
3.5…이고 이 중에서 가장 큰 수는 3.7입니다.

7-2 3.5-1.26=2.24이므로 2.24>□입니다.
□ 안에 들어갈 수 있는 소수 두 자리 수는 2.23,
2.22, 2.21…이고 이 중에서 가장 큰 수는 2.23입니다.

7-3 1.54+2.72=4.26이므로 4.26<□입니다.
□ 안에 들어갈 수 있는 소수 두 자리 수는 4.27,
4.28, 4.29…이고 이 중에서 가장 작은 수는 4.27입니다.

8-1 10.36-5.09=5.27
➡ □-7.54=5.27, □=5.27+7.54,
□=12.81

8-2 9.22-2.05=7.17
➡ 1.98+□=7.17, □=7.17-1.98,
□=5.19

8-3 6.48+5.76=12.24
➡ 12.24=□+2.7, □=12.24-2.7,
□=9.54

---

1 8.2, 0.8
2 1.54, 0.34
3 3.1-0.3=2.8 / 2.8 kg
4 방법 1 예

↓

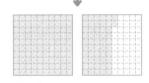

방법 2 예

$$\begin{array}{r} {\scriptstyle 1\ 1} \\ 0.6\ 5 \\ +\ 0.8\ 7 \\ \hline 1.5\ 2 \end{array}$$ / 1.52 kg

5 2.9
6 5.2-3.7=1.5 / 지윤, 1.5 L
7 <
8 (1) 1.5 km, 0.3 km (2) 3.6 km
9 ╳ **10** 0.74
11 10.5 **12** 0.86 kg
13 3, 9, 8
14 4.52 cm
15 (1) □+3.94=15.16 (2) 11.22 (3) 7.28

1 합: 4.5+3.7=8.2
차: 4.5-3.7=0.8

2 0.96+0.58=1.54, 1.54-1.2=0.34

3 (사과만의 무게)
=(사과가 들어 있는 바구니의 무게)
−(빈 바구니의 무게)
=3.1-0.3=2.8 (kg)

5 2.1>2>1.6>0.8이므로 가장 큰 수는 2.1, 가장 작은 수는 0.8입니다.
➡ 2.1+0.8=2.9

6 5.2 L>3.7 L이므로 지윤이가 우유를
5.2-3.7=1.5 (L) 더 많이 마셨습니다.

20

7 $3-1.4=1.6$, $6.89-4.01=2.88$
➡ $1.6<2.88$

8 ⑴ (만든 땅의 가로)$=0.8+0.7=1.5$ (km)
   (만든 땅의 세로)$=0.8-0.5=0.3$ (km)
⑵ (만든 땅의 네 변의 길이의 합)
   $=1.5+0.3+1.5+0.3$
   $=3.6$ (km)

9 $1.31+0.16=1.47$, $2.4-0.7=1.7$,
$1.8+1.4=3.2$
$0.9+0.8=1.7$, $3.92-2.45=1.47$,
$2.21+0.99=3.2$

10 $\square+0.89=1.63$
➡ $1.63-0.89=\square$, $\square=0.74$

11 지안이가 생각하는 수: 2.4
유찬이가 생각하는 수: 8.1
➡ $2.4+8.1=10.5$

12 (사용하고 남은 밀가루의 양)
  $=$(처음 밀가루의 양)
    $-$(과자를 만드는 데 사용한 밀가루의 양)
    $-$(빵을 만드는 데 사용한 밀가루의 양)
  $=2.61-1-0.75=0.86$ (kg)

13
    2. ㉡ 7
  $+$ ㉠.5 1
  ―――――
    6. 4 ㉢

• $7+1=8$이므로 ㉢$=8$입니다.
• ㉡$+5=14$이므로 ㉡$=9$입니다.
• $1+2+$㉠$=6$이므로 ㉠$=3$입니다.

14 (두 색 테이프의 길이의 합)
  $=6.6+8.4=15$ (cm)
(겹친 부분의 길이)
  $=$(두 색 테이프의 길이의 합)
    $-$(이어 붙인 색 테이프 전체의 길이)
  $=15-10.48=4.52$ (cm)

15 ⑵ $\square+3.94=15.16$
   ➡ $15.16-3.94=\square$, $\square=11.22$
   따라서 어떤 수는 11.22입니다.
⑶ $11.22-3.94=7.28$

3단계 심화 유형 연습

심화1 ① 2.59, 2.68 ② 5.27
1-1 8.1   **1-2** 0.11

심화2 ① 5, 6, 7, 8, 9 ② 5개
2-1 6개   **2-2** 4개

심화3 ① 10배 ② 0.74 ③ 7.4
3-1 125.6   **3-2** 0.014

심화4 ① 8.42 ② 2.48 ③ 10.9
4-1 1.98   **4-2** 11.06

심화5 ① 8 ② 8.32
5-1 2.47   **5-2** 6.529

심화6 ① 선우, 은영, 3.51 ② 5.14 m
6-1 (왼쪽부터) 5.2, 유리, 희수 / 7.26 m
6-2 0.19 m

심화1 ① 눈금 한 칸의 크기는 0.01입니다.
    ㉠이 나타내는 수: 2.59
    ㉡이 나타내는 수: 2.68
② $2.59+2.68=5.27$

1-1 눈금 한 칸의 크기는 0.1입니다.
    ㉠이 나타내는 수: 3.4
    ㉡이 나타내는 수: 4.7
➡ $3.4+4.7=8.1$

1-2 눈금 한 칸의 크기는 0.01입니다.
    ㉠이 나타내는 수: 4.85
    ㉡이 나타내는 수: 4.96
➡ $4.96-4.85=0.11$

심화2 ① $\square$ 안에 들어갈 수 있는 수는 5와 같거나 5보다 큰 자연수이므로 5, 6, 7, 8, 9입니다.
② 5, 6, 7, 8, 9 ➡ 5개

2-1 $\square$ 안에 들어갈 수 있는 수는 3보다 큰 자연수이므로 4, 5, 6, 7, 8, 9입니다. ➡ 6개

2-2 $\square$ 안에 들어갈 수 있는 수는 5보다 작은 자연수이므로 1, 2, 3, 4입니다. ➡ 4개

심화3 ② 어떤 소수는 0.074의 10배이므로 0.74입니다.
③ 0.74의 10배는 7.4입니다.

3-1 어떤 소수의 $\dfrac{1}{10}$이 1.256이므로 어떤 소수는 1.256의

10배인 12.56입니다.

따라서 12.56의 10배는 125.6입니다.

3-2 어떤 소수의 100배가 140이므로 어떤 소수는 140의

$\dfrac{1}{100}$인 1.4입니다.

따라서 1.4의 $\dfrac{1}{100}$은 0.014입니다.

심화 4 ❶ 만들 수 있는 가장 큰 소수 두 자리 수는 8.42
입니다.

❷ 만들 수 있는 가장 작은 소수 두 자리 수는 2.48입니다.

❸ 8.42＋2.48＝10.9

4-1 만들 수 있는 가장 큰 소수 두 자리 수: 7.65
만들 수 있는 가장 작은 소수 두 자리 수: 5.67
➡ 7.65－5.67＝1.98

4-2 만들 수 있는 두 번째로 큰 소수 두 자리 수: 9.13
만들 수 있는 두 번째로 작은 소수 두 자리 수: 1.93
➡ 9.13＋1.93＝11.06

심화 5 ❶ 8보다 크고 9보다 작은 소수 두 자리 수이므로
일의 자리 숫자는 8입니다.

❷ 일의 자리 숫자가 8인 소수 두 자리 수를 8.□□
라 하면 소수 첫째 자리 숫자가 3이므로 8.3□입
니다. 8.3□ 중에서 0.01이 2개인 수는 8.32입니다.

5-1 2보다 크고 3보다 작은 소수 두 자리 수이므로 일의
자리 숫자가 2인 2.□□입니다. 소수 첫째 자리 숫
자가 4이므로 2.4□이고 0.01이 7개인 수이므로
2.47입니다.

5-2 6보다 크고 7보다 작은 소수 세 자리 수이므로 일의
자리 숫자가 6인 6.□□□입니다. 소수 첫째 자리 숫
자가 5이므로 6.5□□이고 0.01이 2개이고 0.001이
9개인 수이므로 6.529입니다.

심화 6 ❷ (선우~재석)
＝(선우~동규)＋(은영~재석)－(은영~동규)
＝4.6＋3.51－2.97＝8.11－2.97＝5.14 (m)

6-1 (민주~희수)
＝(민주~유리)＋(준혁~희수)－(준혁~유리)
＝5.2＋3.92－1.86＝9.12－1.86＝7.26 (m)

6-2

세진이와 유림이 사이의 거리가
3.49－2.18＝1.31 (m)입니다.
따라서 효리와 세진이 사이의 거리는
1.5－1.31＝0.19 (m)입니다.

1 셋째, 0.009   **2** 6.42

3 1.82   **4** ㉣

5
$$\begin{array}{r} 6.7\ 2 \\ -\ 4.8\quad \\ \hline 1.9\ 2 \end{array}$$
6 1000배

7 1.1 km   **8** 0.35, 1.81

9 ㉠

10 1.51＋1.51＝3.02 / 3.02 kg

11 예 ❶ 2.1＞2.07＞1.49＞0.9이므로 두 번째로
큰 수는 2.07이고 가장 작은 수는 0.9입니다.
❷ 두 수의 차는 2.07－0.9＝1.17입니다.
답 1.17

12 ＜   **13** 5.75 kg

14 1100   **15** 7, 8, 9

16 3.9   **17** 2.44

18 6, 4, 8   **19** 20.35 kg

20 파란색 털실, 0.51 m

21 0.04

22 예 ❶ (변 ㄱㄴ)＝(변 ㄴㄷ)－1.87
＝7.4－1.87＝5.53 (cm)
❷ (변 ㄱㄷ)＝(변 ㄱㄴ)＋2.693
＝5.53＋2.693＝8.223 (cm)
답 8.223 cm

23 예 ❶ 어떤 수를 □라 하고 잘못 계산한 식을 쓰면
□－5.3＝10.02이므로
□＝10.02＋5.3＝15.32입니다.
❷ 바르게 계산하면 15.32＋5.3＝20.62입니다.
답 20.62

24 45.9 cm   **25** 0.65 km

4 ㉠ 0.1<u>5</u>9 → 0.05   ㉡ 2.0<u>5</u> → 0.05
㉢ 11.8<u>5</u> → 0.05   ㉣ 1.70<u>5</u> → 0.005
➡ 5가 나타내는 수가 다른 것은 ㉣입니다.

5 소수점의 자리를 잘못 맞추어 계산하였습니다.

6 ㉠은 40을 나타내고 ㉡은 0.04를 나타냅니다.
➡ 40은 0.04의 1000배입니다.

7 (오늘 걸은 거리)=(어제 걸은 거리)+0.3
                =0.8+0.3=1.1 (km)

8 0.92−0.57=0.35, 0.35+1.46=1.81

9 ㉠ 246의 $\frac{1}{10}$은 246에서 소수점을 기준으로 수가 오른
쪽으로 한 자리 이동하므로 24.6입니다.
㉡ 0.246의 10배는 0.246에서 소수점을 기준으로 수가
왼쪽으로 한 자리 이동하므로 2.46입니다.
➡ ㉠ 24.6 > ㉡ 2.46

10 (필요한 솜의 무게)=1.51+1.51
                =3.02 (kg)

11
채점 기준		
❶ 두 번째로 큰 수와 가장 작은 수를 찾음.	2점	4점
❷ ❶에서 찾은 두 수의 차를 구함.	2점	

12 3.24+2.79=6.03, 9.14−2.38=6.76
➡ 6.03 < 6.76

13 (형의 몸무게)−(동생의 몸무게)
    =35.3−29.55=5.75 (kg)

14 • 0.8은 0.008의 100배입니다.
    • 270은 0.27의 1000배입니다.
➡ 100+1000=1100

15 2.46 < 2.4□이려면 6 < □이어야 합니다.
따라서 □ 안에 들어갈 수 있는 수는 7, 8, 9입니다.

16 어떤 소수의 $\frac{1}{100}$이 0.039이므로 어떤 소수는 0.039의
100배입니다. 0.039의 100배는 3.9이므로 어떤 소수
는 3.9입니다.

17 0.62+2.8=3.42
➡ ●+0.98=3.42, 3.42−0.98=●, ●=2.44

18
```
    ㉠ . 7
 +  1 . ㉡ 8
 ─────────────
    8 . 1 ㉢
```
• ㉢=8
• 7+㉡=11 ➡ ㉡=4
• 1+㉠+1=8 ➡ ㉠=6

19 흰쌀은 1.85 kg의 10배이므로 18.5 kg입니다.
따라서 흰쌀과 검은쌀은 모두
18.5+1.85=20.35 (kg)입니다.

20 130 cm=1.3 m
0.79 m < 1.3 m이므로 파란색 털실이
1.3−0.79=0.51 (m) 더 깁니다.

21 9 > 7 > 4 > 2이므로 만들 수 있는 가장 큰 소수 세 자리
수는 9.742입니다. 9.742에서 4는 소수 둘째 자리 숫
자로 0.04를 나타냅니다.

22
채점 기준		
❶ 변 ㄱㄴ의 길이를 구함.	2점	4점
❷ 변 ㄱㄷ의 길이를 구함.	2점	

23
채점 기준		
❶ 어떤 수를 구함.	2점	4점
❷ 바르게 계산한 값을 구함.	2점	

24 (색 테이프의 길이의 합)
=16+17.5+18=51.5 (cm)
(겹쳐진 부분의 길이의 합)
=2.8+2.8=5.6 (cm)
➡ (이어 붙인 색 테이프 전체의 길이)
    =51.5−5.6=45.9 (cm)

25

(진수가 달린 거리)=1−0.46=0.54 (km)
(규은이가 달린 거리)=0.54+0.29
                =0.83 (km)
➡ (상태가 달린 거리)=0.83−0.18
                =0.65 (km)

4 사각형

1단계 기본 유형 연습

1

2 나

3 예

4 ㉢

5 예

6 직선 라　　　　　**7** 2쌍

8 셀 수 없이 많이 그을 수 있습니다.

9 성주

10 (1) 예

(2) 예

11

12 (1) ③　(2) 90°　(3) 평행선 사이의 거리

13 4 cm　　　　　**14** 5 cm

15 (1) 1 cm　(2) 3 cm

16 예

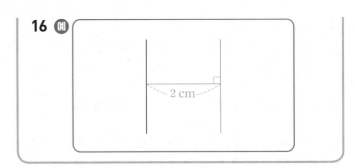
2 cm

1 삼각자나 각도기를 이용하여 직각인 곳을 찾습니다.

2 직각이 있는 도형을 찾으면 나입니다.

3 만나서 이루는 각이 직각이 되도록 모눈종이의 눈금을 따라 선분을 긋습니다.

4 직선 가에 수직인 직선을 그을 때에는 삼각자의 직각 부분을 사용합니다.

5

직선 위에 점 ㄱ을 찍고 각도기의 중심을 점 ㄱ에, 밑 금을 직선에 맞춘 후 90°가 되는 눈금 위에 점 ㄴ을 찍어 점 ㄱ과 점 ㄴ을 직선으로 잇습니다.

6 직선 가와 서로 만나지 않는 직선은 직선 라입니다.

7 변 ㄱㄹ과 변 ㄴㄷ, 변 ㄱㄴ과 변 ㄹㄷ 　➡　2쌍

8 한 직선과 평행한 직선은 셀 수 없이 많이 그을 수 있습니다.

9 민호: 평행한 두 직선은 서로 만나지 않습니다.

> 참고
> 평행선은 아무리 늘여도 서로 만나지 않습니다.

10 (1)

(2)

11

가

12
> 참고
> • 평행선 사이의 선분 중에서 수선의 길이가 가장 짧습니다.
> • 평행선 사이의 수선의 길이는 모두 같습니다.

13 평행선 사이의 거리를 나타내는 것은 라ㅁ이므로 평행선 사이의 거리는 4 cm입니다.

14 길이가 4 cm, 10 cm인 변이 서로 평행합니다.
➡ 두 변 사이에 그은 수선의 길이는 5 cm입니다.

참고
도형에서 평행선 사이의 거리를 구하려면 평행한 두 변에 수직인 선분을 알아봅니다.

15 ⑴ 평행선 사이에 수직인 선분을 긋고 그 선분의 길이를 재어 보면 1 cm입니다.
⑵ 평행선 사이에 수직인 선분을 긋고 그 선분의 길이를 재어 보면 3 cm입니다.

93쪽 **1** 단계 기본 ➕ 유형 연습

1-1 변 ㄱㄹ, 변 ㄴㄷ / 변 ㄹㄷ
1-2 변 ㄴㄷ, 변 ㅁㄹ / 변 ㄱㅁ
1-3 변 ㅂㅁ / 변 ㄴㄷ, 변 ㄹㅁ
2-1 25°   **2**-2 50°
2-3 15°

1-1 변 ㄱㄴ에 수직인 변은 변 ㄱㄹ, 변 ㄴㄷ이고, 변 ㄱㄴ과 평행한 변은 변 ㄹㄷ입니다.

1-2 변 ㄷㄹ에 수직인 변은 변 ㄴㄷ, 변 ㅁㄹ이고, 변 ㄷㄹ과 평행한 변은 변 ㄱㅁ입니다.

1-3 변 ㄱㅂ에 수직인 변은 변 ㅂㅁ이고, 변 ㄱㅂ과 평행한 변은 변 ㄴㄷ, 변 ㄹㅁ입니다.

2-1 직선 ㄱㄷ은 직선 ㄷㅁ에 대한 수선이므로 각 ㄱㄷㅁ은 90°입니다.
➡ (각 ㅁㄷㄹ)=180°−65°−90°=25°

2-2 직선 ㄱㄷ은 직선 ㄷㅁ에 대한 수선이므로 각 ㄱㄷㅁ은 90°입니다.
➡ (각 ㄱㄷㄴ)=180°−90°−40°=50°

2-3 직선 ㄴㄹ은 직선 ㄱㄷ에 대한 수선이므로 각 ㄱㄷㄹ은 90°입니다.
➡ (각 ㄱㄷㅁ)=90°−75°=15°

94~96쪽 **2** 단계 실력 유형 연습

1 가, 나 / 사, 아   **2** 한국
3
4 4 cm   **5** 변 ㅂㅅ, 변 ㅁㄹ
6
7 2 cm   **8** 나
9 2개
10 ⑴   ⑵
11 55
12 ⑴ 20 cm, 12 cm   ⑵ 32 cm

1 서로 만나지 않는 두 직선은 평행합니다.

2 직선 가와 수직으로 만나는 깃대를 찾으면 한국 국기의 깃대입니다.

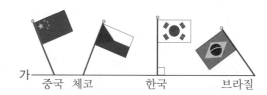
가 중국 체코   한국   브라질

3 점 ㄴ을 지나고 변 ㄱㄷ과 수직으로 만나는 선분을 긋습니다.

4

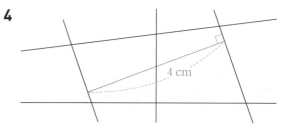
4 cm

평행선을 찾은 다음 평행선 사이에 수직인 선분을 긋고 그 선분의 길이를 재어 봅니다.

참고
평행선 사이의 거리를 구할 때에는 평행선의 한 직선에서 다른 직선에 수선을 긋고, 그은 수선의 길이를 잽니다.

5 변 ㄱㄴ과 서로 만나지 않는 변은 변 ㅂㅅ과 변 ㅁㄹ입니다.

6
> • 한 점을 지나고 한 직선에 수직인 직선은 1개 그을 수 있습니다.
> • 한 점을 지나고 한 직선과 평행한 직선은 1개 그을 수 있습니다.

7 평행한 두 변은 변 ㄱㅂ과 변 ㄷㄹ이므로 평행선 사이의 거리를 재면 2 cm입니다.

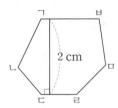

8 가: 2쌍, 나: 3쌍, 다: 1쌍
➡ 평행선이 가장 많은 도형은 나입니다.

9 변 ㄴㄷ과 변 ㄹㅁ에 각각 수선을 그을 수 있습니다.

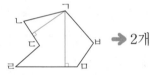 ➡ 2개

10 주어진 선분에 각각 평행한 두 선분을 그어 사각형을 그립니다.

11 직선 가와 직선 나는 서로 수직이므로
□+35°=90°입니다.
➡ □=90°−35°, □=55°

12 ② (직선 가와 직선 다 사이의 거리)
=(직선 가와 직선 나 사이의 거리)
+(직선 나와 직선 다 사이의 거리)
=20+12=32 (cm)

97~100쪽 **1단계 기본 유형 연습**

1 나, 다   **2** 변 ㄱㄹ, 변 ㄴㄷ
3
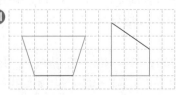

---

4 가, 다, 라, 마   **5** 서아
6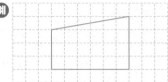

7 예 평행한 변이 있으므로 사다리꼴입니다.
8 나, 다, 바   **9** ㉡
10 110
11 (왼쪽부터) 5, 8
12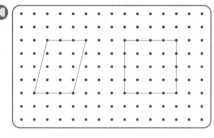

13 180°
14

15 나, 라
16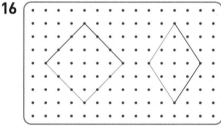

17 (위부터) 7, 55
18 36 cm   **19** 70°
20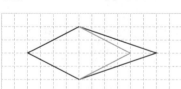

21 ㉢
22 ⑴ 나, 다, 마   ⑵ 나, 다
23 (왼쪽부터) 4, 90, 9
24 56 cm
25 ⑴ 가, 나, 다   ⑵ 가, 나, 다   ⑶ 가, 나
⑷ 가, 다   ⑸ 가
26 없습니다에 ○표 / 예 네 변의 길이가 모두 같지 않기 때문에 정사각형이라고 할 수 없습니다.

1 평행한 변이 한 쌍이라도 있는 사각형은 나, 다입니다.

2 서로 만나지 않는 두 변을 찾으면 변 ㄱㄹ과 변 ㄴㄷ입니다.

3 평행한 변이 있도록 그립니다.

4 직사각형은 마주 보는 두 변이 서로 평행하므로 선을 따라 잘랐을 때 자른 도형은 삼각형 나를 제외하고 모두 사다리꼴입니다.

5 평행한 변이 한 쌍이라도 있는 사각형은 사다리꼴입니다. 따라서 이 사각형은 평행한 변이 있으므로 사다리꼴입니다.

6 평행한 변이 있도록 사각형을 그립니다.

7 〔평가 기준〕

평행한 변이 있다는 말을 썼으면 정답입니다.

8 마주 보는 두 쌍의 변이 서로 평행한 사각형은 나, 다, 바입니다.

9 평행사변형은 마주 보는 두 쌍의 변이 서로 평행한 사각형입니다.

10 평행사변형은 마주 보는 두 각의 크기가 같습니다.
➡ (각 ㄱㄴㄷ)=(각 ㄱㄹㄷ)=110°

11 평행사변형은 마주 보는 두 변의 길이가 같습니다.

12 마주 보는 두 쌍의 변이 서로 평행한 사각형을 그립니다.

13 평행사변형에서 이웃한 두 각의 크기의 합은 180°입니다.

14 마주 보는 두 쌍의 변이 서로 평행하도록 선을 긋습니다.

15 네 변의 길이가 모두 같은 사각형은 나, 라입니다.

16 네 변의 길이가 모두 같은 사각형이 되도록 그립니다.

17 마름모는 네 변의 길이가 모두 같으므로
(변 ㄱㄹ)=(변 ㄱㄴ)=7 cm이고
마주 보는 두 각의 크기가 같으므로
(각 ㄱㄴㄷ)=(각 ㄱㄹㄷ)=55°입니다.

18 마름모는 네 변의 길이가 모두 같으므로 마름모의 네 변의 길이의 합은 9×4=36 (cm)입니다.

19 마름모에서 이웃한 두 각의 크기의 합은 180°이므로 ㉠+110°=180°입니다.
➡ ㉠=180°−110°, ㉠=70°

20 네 변의 길이가 모두 같도록 꼭짓점 1개를 옮겨 마름모를 그립니다.

21 이등변삼각형은 두 변의 길이가 같으므로 만든 도형은 네 변의 길이가 모두 같습니다.
➡ 마름모

22 (1) 네 각이 모두 직각인 사각형은 나, 다, 마입니다.
(2) 네 각이 모두 직각이고 네 변의 길이가 모두 같은 사각형은 나, 다입니다.

23 직사각형은 마주 보는 두 변의 길이가 같고 네 각이 모두 직각입니다.

24 정사각형은 네 변의 길이가 모두 같으므로
(네 변의 길이의 합)=14×4=56 (cm)입니다.

25 (1) 평행한 변이 한 쌍이라도 있는 사각형은 가, 나, 다입니다.
(2) 마주 보는 두 쌍의 변이 서로 평행한 사각형은 가, 나, 다입니다.
(3) 네 변의 길이가 모두 같은 사각형은 가, 나입니다.
(4) 네 각이 모두 직각인 사각형은 가, 다입니다.
(5) 네 각이 모두 직각이고 네 변의 길이가 모두 같은 사각형은 가입니다.

26 〔평가 기준〕

네 변의 길이가 모두 같은 것은 아니라는 말이 있으면 정답입니다.

〔참고〕

• 직사각형은 네 각이 모두 직각이지만 네 변의 길이가 모두 같지 않으므로 정사각형이라고 할 수 없습니다.
• 정사각형은 네 각이 모두 직각이므로 직사각형이라고 할 수 있습니다.

26 〔1단계〕 **기본 ➕ 유형 연습** 101쪽

3-1 55°	**3**-2 140°
3-3 70°	
4-1 5 cm	**4**-2 4 cm
4-3 7 cm	

3-1 평행사변형은 마주 보는 두 각의 크기가 같으므로
(각 ㄴㄷㄹ)=(각 ㄴㄱㄹ)=125°입니다.
➡ ㉠=180°−125°=55°

3-2 평행사변형은 마주 보는 두 각의 크기가 같으므로
(각 ㄴㄷㄹ)=(각 ㄴㄱㄹ)=40°입니다.
➡ ㉠=180°−40°=140°

3-3 평행사변형은 마주 보는 두 각의 크기가 같으므로
(각 ㄱㄴㄷ)=(각 ㄱㄹㄷ)=110°입니다.
➡ ㉠=180°−110°=70°

4-1 (직사각형의 네 변의 길이의 합)
=4+6+4+6=20 (cm)
정사각형의 네 변의 길이의 합도 20 cm이므로 한 변의 길이는 20÷4=5 (cm)입니다.

4-2 (직사각형의 네 변의 길이의 합)
=5+3+5+3=16 (cm)
정사각형의 네 변의 길이의 합도 16 cm이므로 한 변의 길이는 16÷4=4 (cm)입니다.

4-3 (직사각형의 네 변의 길이의 합)
=9+5+9+5=28 (cm)
정사각형의 네 변의 길이의 합도 28 cm이므로 한 변의 길이는 28÷4=7 (cm)입니다.

정답과 해설

102~105쪽 2단계 실력 유형 연습

1 (위부터) 90, 8, 6
2 (1) 가, 나, 다, 라, 마
(2) 나, 라, 마   (3) 나, 라
3 (1) 예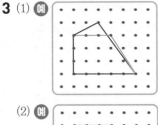

(2) 예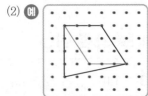

4 사다리꼴   **5** 48°
6 31 cm
7 (1) 3개, 2개, 1개   (2) 6개

---

8 ①, ④, ⑤
9 예 네 변의 길이는 모두 같지만 네 각이 모두 직각이 아니므로 정사각형이 아닙니다.
10 정사각형   **11** 12 cm
12 예 사다리꼴, 평행사변형, 직사각형
13 4 cm   **14** 135°
15 (1) 16 cm, 8 cm   (2) 41 cm

1 마름모는 마주 보는 꼭짓점끼리 이은 선분이 서로 수직으로 만나고 길이가 같게 나누어집니다.

2 (1) 자른 도형들은 위와 아래의 변이 서로 평행하므로 모두 사다리꼴입니다.
(2) 마주 보는 두 쌍의 변이 서로 평행한 사각형은 나, 라, 마입니다.
(3) 네 변의 길이가 모두 같은 사각형은 나, 라입니다.

3 (1) 마주 보는 한 쌍의 변이 서로 평행하도록 꼭짓점을 옮깁니다.
(2) 마주 보는 두 쌍의 변이 서로 평행하도록 꼭짓점을 옮깁니다.

4 만들어지는 사각형은 모양입니다.
➡ 마주 보는 한 쌍의 변이 서로 평행하므로 사다리꼴입니다.

> **참고**
> 색종이는 직사각형 모양이므로 마주 보는 두 쌍의 변이 서로 평행합니다.

5 평행사변형에서 이웃하는 두 각의 크기의 합은 180°이므로 (각 ㄴㄱㄹ)+(각 ㄱㄹㄷ)=180°입니다.
➡ 132°+(각 ㄱㄹㄷ)=180°,
(각 ㄱㄹㄷ)=180°−132°=48°

6 마름모는 네 변의 길이가 모두 같으므로
(한 변의 길이)=124÷4=31 (cm)입니다.

7 (1)

• 사각형 1개짜리: ㉠, ㉡, ㉢ ➡ 3개
• 사각형 2개짜리: ㉠+㉡, ㉡+㉢ ➡ 2개
• 사각형 3개짜리: ㉠+㉡+㉢ ➡ 1개
(2) 찾을 수 있는 크고 작은 사다리꼴은 모두
3+2+1=6(개)입니다.

8 마주 보는 두 쌍의 변이 서로 평행하므로 사다리꼴, 평행사변형이라고 할 수 있고, 네 각이 모두 직각이므로 직사각형이라고 할 수 있습니다.

9 평가 기준
네 변의 길이는 모두 같지만 네 각이 모두 직각이 아니라는 말이 있으면 정답입니다.

10 • 마주 보는 두 쌍의 변이 서로 평행한 사각형: 평행사변형, 마름모, 직사각형, 정사각형
 • 네 변의 길이가 모두 같은 사각형: 마름모, 정사각형
 • 네 각의 크기가 모두 같은 사각형: 직사각형, 정사각형
 ➡ 세 사람이 말하는 조건을 모두 만족하는 도형은 정사각형입니다.

11 (변 ㄱㄹ)=(변 ㄴㄷ)=20 cm이고
(변 ㄱㄴ)=(변 ㄹㄷ)입니다.
(변 ㄱㄴ)+(변 ㄹㄷ)=64−20−20=24 (cm)
➡ (변 ㄹㄷ)=24÷2=12 (cm)

12 길이가 같은 막대가 2개씩 있으므로 마주 보는 두 변의 길이가 같은 사각형을 만들 수 있습니다. 마주 보는 두 변의 길이가 같은 평행사변형, 직사각형을 만들 수 있고 사다리꼴도 만들 수 있습니다.

13 이등변삼각형의 세 변의 길이의 합은
5+5+6=16 (cm)입니다.
따라서 철사를 남김없이 겹치지 않게 사용하여 만들 수 있는 마름모의 한 변의 길이는 16÷4=4 (cm)입니다.

14 평행사변형은 마주 보는 두 각의 크기가 같으므로
(각 ㅁㄴㄷ)=(각 ㅁㄹㄷ)=75°입니다.
삼각형 ㄱㄴㅁ은 정삼각형이므로
(각 ㄱㄴㅁ)=60°입니다.
➡ (각 ㄱㄴㄷ)=60°+75°=135°

15 (1) 사각형 ㄱㅁㄷㄹ은 평행사변형이고 평행사변형은 마주 보는 두 변의 길이가 같으므로
(선분 ㄱㅁ)=(선분 ㄹㄷ)=16 cm,
(선분 ㅁㄷ)=(선분 ㄱㄹ)=22 cm입니다.
(선분 ㄴㅁ)=(선분 ㄴㄷ)−(선분 ㅁㄷ)
=30−22=8 (cm)
(2) (삼각형 ㄱㄴㅁ의 세 변의 길이의 합)
=17+8+16=41 (cm)

106~111쪽 **3**단계 **심화 유형 연습**

심화 1 **1** ㅁ, ㄱ **2** ㅁ **3** ㅁ
1-1 ㄹ
1-2 3개

심화 2 **1** 45° **2** 각, 이등변 **3** 12 cm
2-1 9 cm
2-2 8 cm

심화 3 **1** 5 cm **2** 36 cm
3-1 78 cm
3-2 60 cm

심화 4 **1** 100° **2** 이등변삼각형 **3** 40°
4-1 55°
4-2 80°

심화 5 **1** 8개 **2** 4개 **3** 12개
5-1 13개
5-2 21개

심화 6 **1**

2 55°, 35° **3** 95°
6-1 80°
6-2 125°

심화 1 **1** 수선이 있는 글자: ㅁ, ㄱ
2 평행선이 있는 글자: ㅁ
3 수선과 평행선이 모두 있는 글자: ㅁ

1-1 • 수선이 있는 글자: ㄴ, ㄹ
 • 평행선이 있는 글자: ㄹ, ㅎ
 ➡ 수선과 평행선이 모두 있는 글자: ㄹ

1-2 수선이 있는 알파벳: H, T, E, F
평행선이 있는 알파벳: H, E, M, F
➡ 수선과 평행선이 모두 있는 알파벳은 H, E, F이므로 3개입니다.

심화 2 **1** (각 ㄱㄷㄹ)=180°−45°−90°=45°
2 (각 ㄹㄱㄷ)=(각 ㄱㄷㄹ)=45°이므로 삼각형 ㄱㄷㄹ은 이등변삼각형입니다.

3 삼각형 ㄱㄴㄷ은 이등변삼각형이므로
(변 ㄹㄷ)=(변 ㄱㄹ)=12 cm입니다.
평행선은 변 ㄱㄹ과 변 ㄴㄷ이므로 평행선 사이의
거리는 변 ㄹㄷ의 길이와 같은 12 cm입니다.

2-1 (각 ㄴㄹㄷ)=$180°-45°-90°=45°$,
(각 ㄹㄴㄷ)=(각 ㄴㄹㄷ)이므로
삼각형 ㄴㄷㄹ은 이등변삼각형입니다.
이등변삼각형은 두 변의 길이가 같으므로
(변 ㄹㄷ)=(변 ㄴㄷ)=9 cm입니다.
평행선은 변 ㄱㄹ과 변 ㄴㄷ이므로 평행선 사이의 거
리는 변 ㄹㄷ의 길이와 같은 9 cm입니다.

2-2 (각 ㄱㅁㄷ)=$90°-30°=60°$,
(각 ㅁㄱㄷ)=$180°-60°-60°=60°$이므로
삼각형 ㄱㄷㅁ은 정삼각형입니다.
정삼각형은 세 변의 길이가 같으므로
(변 ㄱㅁ)=(변 ㄱㄷ)=8 cm입니다.
평행선은 변 ㄱㄴ과 변 ㅁㄹ이므로 평행선 사이의 거
리는 변 ㄱㅁ의 길이와 같은 8 cm입니다.

심화3 **1** 마름모는 네 변의 길이가 모두 같으므로
(변 ㄱㄹ)=(변 ㄱㄴ)=5 cm입니다.
평행사변형은 마주 보는 두 변의 길이가 같으므로
(변 ㅂㅁ)=(변 ㄱㄹ)=5 cm입니다.
2 $5+5+5+8+5+8=36$ (cm)

3-1 정사각형은 네 변의 길이가 모두 같으므로
(변 ㅂㄷ)=(변 ㄱㄴ)=11 cm입니다.
평행사변형은 마주 보는 두 변의 길이가 같으므로
(변 ㅁㄹ)=(변 ㅂㄷ)=11 cm입니다.
➡ $11+11+17+11+17+11=78$ (cm)

3-2 직사각형은 마주 보는 두 변의 길이가 같으므로
(변 ㅂㄷ)=(변 ㄱㄴ)=9 cm입니다.
마름모는 네 변의 길이가 모두 같으므로
(변 ㄷㄹ)=(변 ㄹㅁ)=(변 ㅁㅂ)=(변 ㅂㄷ)=9 cm
입니다.
➡ $9+12+9+9+9+12=60$ (cm)

심화4 **1** 마름모는 마주 보는 두 각의 크기가 같으므로
(각 ㄴㄱㄹ)=(각 ㄴㄷㄹ)=100°입니다.
2 (변 ㄱㄴ)=(변 ㄱㄹ)이므로 삼각형 ㄱㄴㄹ은 이등
변삼각형입니다.

3 삼각형 ㄱㄴㄹ은 이등변삼각형이므로
(각 ㄱㄴㄹ)=(각 ㄱㄹㄴ)이고
(각 ㄱㄴㄹ)+(각 ㄱㄹㄴ)
=$180°-100°=80°$입니다.
➡ (각 ㄱㄴㄹ)=$80°÷2=40°$

4-1 마름모는 마주 보는 두 각의 크기가 같으므로
(각 ㄴㄱㄹ)=(각 ㄴㄷㄹ)=70°입니다.
삼각형 ㄱㄴㄹ은 (변 ㄱㄴ)=(변 ㄱㄹ)이므로
이등변삼각형이고 (각 ㄱㄴㄹ)=(각 ㄱㄹㄴ)입니다.
(각 ㄱㄴㄹ)+(각 ㄱㄹㄴ)=$180°-70°=110°$
➡ (각 ㄱㄴㄹ)=$110°÷2=55°$

4-2 삼각형 ㄱㄷㄹ은 (변 ㄱㄹ)=(변 ㄷㄹ)이므로 이등변
삼각형이고
(각 ㄹㄷㄱ)=(각 ㄹㄱㄷ)=50°입니다.
삼각형 ㄱㄷㄹ에서
(각 ㄱㄹㄷ)=$180°-50°-50°=80°$입니다.
마름모는 마주 보는 두 각의 크기가 같으므로
(각 ㄱㄴㄷ)=(각 ㄱㄹㄷ)=80°입니다.

심화5 **1** 모양: 3개, 모양: 3개, 모양: 2개 ➡ $3+3+2=8$(개)
2 ➡ 4개
3 $8+4=12$(개)

5-1 작은 삼각형 2개짜리
➡ 모양: 4개, 모양: 2개, 모양: 2개
➡ $4+2+2=8$(개)
작은 삼각형 4개짜리
➡ 모양: 2개, 모양: 2개
➡ $2+2=4$(개)
작은 삼각형 8개짜리 ➡ 모양: 1개
따라서 크고 작은 평행사변형은 모두
$8+4+1=13$(개)입니다.

5-2 작은 삼각형 2개짜리

➡  모양: 6개, ◺ 모양: 6개, ◇ 모양: 6개

➡ 6＋6＋6＝18(개)

작은 삼각형 8개짜리

➡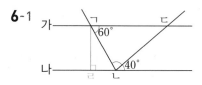

➡ 3개

따라서 크고 작은 마름모는 모두 18＋3＝21(개)입니다.

심화 6 ❷ 평행선과 평행선 사이에 그은 수선이 만나서 이루는 각은 90°이므로

(각 ㄹㄱㄴ)＝90°－35°＝55°입니다.

삼각형 ㄱㄹㄴ의 세 각의 크기의 합은 180°이므로

(각 ㄱㄴㄹ)＝180°－55°－90°＝35°입니다.

❸ (각 ㄱㄴㄷ)＝180°－35°－50°＝95°

6-1

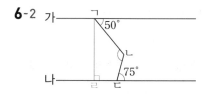

점 ㄱ을 지나고 직선 나에 수직인 선분을 긋고, 그 선분이 직선 나와 만나는 점 ㄹ을 표시합니다.

(각 ㄹㄱㄴ)＝90°－60°＝30°

삼각형 ㄱㄹㄴ의 세 각의 크기의 합은 180°이므로

(각 ㄱㄴㄹ)＝180°－30°－90°＝60°입니다.

➡ (각 ㄱㄴㄷ)＝180°－60°－40°＝80°

6-2

점 ㄱ을 지나고 직선 나에 수직인 선분을 긋고, 그 선분이 직선 나와 만나는 점 ㄹ을 표시합니다.

(각 ㄱㄹㄷ)＝90°, (각 ㄴㄹㄱ)＝90°－50°＝40°,

(각 ㄴㄹㄷ)＝180°－75°＝105°

사각형 ㄱㄹㄷㄴ의 네 각의 크기의 합은 360°이므로

(각 ㄱㄴㄷ)＝360°－40°－90°－105°＝125°입니다.

1 직선 다   **2** 직선 나

3 3쌍   **4** (위부터) 6, 120

5 ㉢

6 예

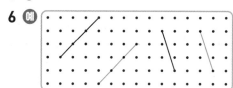

7 나, 2 cm   **8** 나, 라

9 12 cm

10 ❶ 마름모가 아닙니다. /

예 ❷ 네 변의 길이가 모두 같지 않으므로 마름모가 아닙니다.

11

12 나

13 ①, ④

14 3개

15 9 cm   **16** ㉠

17 45°   **18** 20 cm

19 예 ❶ 직선 가와 직선 나가 서로 수직이므로 두 직선이 이루는 각도는 90°입니다.

❷ 삼각형의 세 각의 크기의 합은 180°이므로

㉠＝180°－90°－25°＝65°입니다. 답 65°

20 18 cm

21 예 ❶ 변 ㄴㄷ의 길이를 □cm라 하면

□＋8＋□＋8＝58입니다.

❷ □＋□＝42, □＝21이므로 변 ㄴㄷ의 길이는 21 cm입니다. 답 21 cm

22 55°   **23** 84 cm

24 9개   **25** 15°

1 직선 가와 만나서 이루는 각이 직각인 것을 찾으면 직선 다입니다.

2 직선 가와 직선 나는 직선 다에 수직이므로 서로 만나지 않습니다. 따라서 직선 가와 평행한 직선은 직선 나입니다.

3 평행한 변은 변 ㄱㄴ과 변 ㅁㄹ, 변 ㄴㄷ과 변 ㅂㅁ, 변 ㄱㅂ과 변 ㄷㄹ로 모두 3쌍입니다.

4 평행사변형은 마주 보는 두 변의 길이가 같고, 마주 보는 두 각의 크기가 같습니다.

정답과 해설

31

5 점 ㉢과 연결하여 사각형을 완성하면 한 쌍의 변이 서로 평행한 사각형이 됩니다.

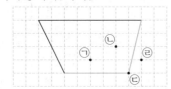

6 점 종이의 점을 이용하여 주어진 선분과 평행한 선분을 긋습니다.

7 평행선 사이의 거리를 나타낸 선분은 나이고, 자로 재어 보면 2 cm입니다.

8 네 변의 길이가 모두 같은 사각형은 나, 라입니다.

9 길이가 4 cm인 변과 9 cm인 변이 평행합니다. 따라서 평행한 두 변 사이에 그은 수선의 길이는 12 cm입니다.

10

채점 기준		
❶ 답을 바르게 씀.	2점	4점
❷ 까닭을 바르게 씀.	2점	

11 점 ㄱ을 지나면서 변 ㄴㄷ과 수직으로 만나는 선을 긋습니다.

12 수선이 있는 도형: 나, 다, 평행선이 있는 도형: 가, 나
➡ 수선도 있고 평행선도 있는 도형: 나

13 주어진 도형은 평행사변형입니다. 평행사변형은 사다리꼴이라고 할 수 있습니다.

14

마주 보는 두 쌍의 변이 서로 평행한 사각형은 ①, ②, ③으로 모두 3개입니다.

15 사각형 ㄱㄴㅁㄹ은 평행사변형이고, 평행사변형은 마주 보는 두 변의 길이가 같으므로
(선분 ㄴㅁ)=(선분 ㄱㄹ)=7 cm입니다.
➡ (선분 ㅁㄷ)=(선분 ㄴㄷ)−(선분 ㄴㅁ)
= 16−7=9 (cm)

16 ㉠ 네 변의 길이가 모두 같은 사각형은 마름모입니다. 네 변의 길이가 모두 같다고 해서 반드시 정사각형은 아닙니다.

17 마름모는 마주 보는 두 각의 크기가 같습니다.
(각 ㄱㄹㄷ)=180°−135°=45°
(각 ㄱㄴㄷ)=(각 ㄱㄹㄷ)=45°

18 (변 ㄱㅂ과 변 ㄴㄷ 사이의 거리)
=(변 ㅂㅁ)+(변 ㄹㄷ)
= 10+10=20 (cm)

19

채점 기준		
❶ 직선 가와 직선 나가 이루는 각도를 구함.	2점	4점
❷ ㉠의 각도를 구함.	2점	

20 (정사각형의 네 변의 길이의 합)=13×4=52 (cm)
➡ (사용하고 남은 철사의 길이)=70−52=18 (cm)

21

채점 기준		
❶ 변 ㄴㄷ의 길이를 구하는 식을 만듦.	2점	4점
❷ 변 ㄴㄷ의 길이를 구함.	2점	

22 직선 가는 직선 나에 대한 수선이므로 두 직선이 이루는 각도는 90°입니다.
㉠=90°−20°=70°,
㉡=90°−75°=15°
➡ ㉠−㉡=70°−15°=55°

23 마름모, 정삼각형, 정사각형은 각각 변의 길이가 모두 같은 도형이므로 마름모, 정삼각형, 정사각형의 한 변의 길이는 24÷2=12 (cm)입니다.
➡ 초록색 선의 길이는 12 cm가 7개이므로
12×7=84 (cm)입니다.

24 • 사각형 1개짜리: 사각형 ㄱㅁㅈㅇ, 사각형 ㅇㅈㅅㄹ, 사각형 ㅁㄴㅂㅈ, 사각형 ㅈㅂㄷㅅ
➡ 4개
• 사각형 2개짜리: 사각형 ㄱㄴㅂㅇ, 사각형 ㅇㅂㄷㄹ, 사각형 ㄱㅁㅅㄹ, 사각형 ㅁㄴㄷㅅ
➡ 4개
• 사각형 4개짜리: 사각형 ㄱㄴㄷㄹ ➡ 1개
따라서 크고 작은 사다리꼴은 모두 4+4+1=9(개)입니다.

25 마름모 ㄹㄷㅁㅂ은 이웃하는 두 각의 크기의 합이 180°이므로
(각 ㄷㄹㅂ)=180°−120°=60°입니다.
(각 ㄱㄹㄷ)=90°이므로
(각 ㄱㄹㅂ)=90°+60°=150°입니다.
삼각형 ㄹㄱㅂ은 이등변삼각형이므로
(각 ㄹㅂㄱ)=(각 ㄹㄱㅂ)이고
(각 ㄹㅂㄱ)+(각 ㄹㄱㅂ)=180°−150°=30°입니다.
➡ (각 ㄹㅂㄱ)=30°÷2=15°

5 꺾은선그래프

1단계 기본 유형 연습

120~125쪽

1 꺾은선그래프 **2** 연도 / 적설량

3 1 mm **4** 적설량의 변화

5 2 ℃ **6** 꺾은선그래프

7 서준

8 예 가로와 세로에 나타내는 것이 같습니다.

9 110 cm / 100 cm

10 혜영 **11** 월 / 날수

12 3월 **13** 화요일

14 수요일 **15** 금요일

16 예 20

17 ㉯

18 0.3 kg

19 8월

20 키

21 예 1 cm

22

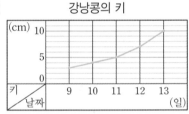

강낭콩의 키

23 예 0.1 ℃

24 예 14 ℃

25 예

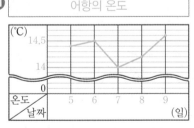

어항의 온도

26 6일과 7일 사이 / 예 선이 가장 많이 기울어져 있기 때문입니다.

27 120, 90, 70, 30, 20

28 예

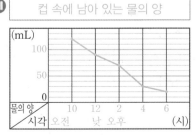

컵 속에 남아 있는 물의 양

29

기록 대회 1차 2차 3차 4차 5차

30 유찬

31 높아지고 있습니다.

32 낮아지고 있습니다.

33 커지고 있습니다.

34 예 32 ℃ / 예 13 ℃

35 2권 / 10권 **36** 만화책

37 동화책 **38** 106권

---

1 연속적으로 변화하는 양을 점으로 표시하고, 그 점들을 선분으로 이어 그린 그래프이므로 꺾은선그래프입니다.

3 세로 눈금 5칸이 5 mm를 나타내므로 세로 눈금 한 칸은 5÷5＝1 (mm)를 나타냅니다.

4 세로가 적설량을 나타내므로 꺾은선은 적설량의 변화를 나타냅니다.

5 세로 눈금 5칸이 10 ℃를 나타내므로 세로 눈금 한 칸은 10÷5＝2 (℃)를 나타냅니다.

7 서준: 막대그래프와 꺾은선그래프에서 세로가 나타내는 것이 서로 같습니다.

8 여러 가지 답이 나올 수 있습니다.

9 세로 눈금 한 칸이 10 cm이므로 7세 때의 키는 인성이가 110 cm, 혜영이가 100 cm입니다.

10 11세 때의 키는 인성이가 130 cm, 혜영이가 150 cm입니다.
  ➡ 130 cm＜150 cm이므로 키가 더 큰 사람은 혜영이입니다.

12 점이 가장 높게 찍힌 때는 3월입니다.

13 점이 가장 낮게 찍힌 때는 화요일입니다.

14 그래프의 선이 오른쪽으로 가장 많이 올라간 때는 수요일입니다.

15 그래프의 선이 오른쪽으로 가장 많이 내려간 때는 금요일입니다.

16 가장 작은 값이 22이므로 20부터 시작하면 좋습니다.

17 물결선이 있는 ㉯ 그래프가 체온을 읽기 더 편합니다.

18 8월: 27.8 kg, 10월: 28.1 kg
➡ 28.1−27.8=0.3 (kg)

19 전월과 비교하여 몸무게가 가장 많이 변화한 때는 8월 입니다.

21 강낭콩의 키가 1 cm 단위이므로 세로 눈금 한 칸을 1 cm로 하는 것이 좋습니다.

22 조사한 내용을 가로 눈금과 세로 눈금이 만나는 자리에 점을 찍고 점들을 차례로 선분으로 연결합니다.

23 온도를 0.1 ℃까지 조사하였으므로 세로 눈금 한 칸은 0.1 ℃로 하는 것이 좋습니다.

24 온도가 14 ℃부터 14.6 ℃까지이므로 세로 눈금의 시작은 14 ℃에서 하면 좋습니다.

25 참고

꺾은선그래프로 나타내는 방법
① 가로와 세로 중 어느 쪽에 조사한 수를 나타낼 것인지 정하기
② 눈금 한 칸의 크기를 정하고, 조사한 수 중에서 가장 큰 수를 나타낼 수 있도록 눈금의 수 정하기
③ 가로 눈금과 세로 눈금이 만나는 자리에 점 찍기
④ 점들을 선분으로 잇기
⑤ 꺾은선그래프에 알맞은 제목 붙이기

26 평가 기준

까닭을 바르게 설명했으면 정답입니다.

30 기록이 점점 줄어들고 있기 때문에 이 선수의 기록은 점점 좋아지고 있습니다.

31 그래프의 선이 오른쪽으로 올라가고 있으므로 최고 기온은 높아지고 있습니다.

32 그래프의 선이 오른쪽으로 내려가고 있으므로 최저 기온은 낮아지고 있습니다.

33 최고 기온은 높아지고 최저 기온은 낮아지므로 일교차 는 커지고 있습니다.

34 최고 기온은 21일에 비해 더 높아지고 최저 기온은 21일 에 비해 더 낮아질 것입니다.

35 • 동화책: 세로 눈금 5칸이 10권을 나타내므로 세로 눈금 한 칸은 2권을 나타냅니다.

• 만화책: 세로 눈금 5칸이 50권을 나타내므로 세로 눈금 한 칸은 10권을 나타냅니다.

36 3일에 동화책은 36권, 만화책은 50권 팔렸습니다.
➡ 36권＜50권이므로 더 많이 판매된 책은 만화책입 니다.

38 7일에 동화책은 26권, 만화책은 80권 팔렸습니다.
➡ 26+80=106(권)

126~127쪽 **1**단계 기본 ＋ 유형 연습

1-1 ㉠   **1-2** ㉡
2-1 140회   **2-2** 1.5 m/s
3-1 4 cm   **3-2** 90, 줄었습니다에 ○표
4-1

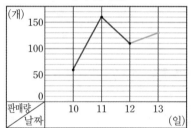

과자 판매량

4-2

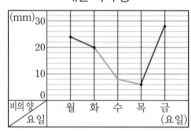

내린 비의 양

1-1 ㉡ 세로 눈금 한 칸이 10상자이므로 1일에 사과 수확 량은 80상자입니다.

1-2 ㉠ 스마트폰 판매량이 가장 많은 때는 5월입니다.

2-1 세로 눈금 한 칸은 20회입니다.
9일의 동영상 조회 수: 260회,
7일의 동영상 조회 수: 120회
➡ 260−120=140(회)

2-2 세로 눈금 한 칸은 0.1 m/s입니다.
오전 9시의 바람 세기: 2.1 m/s,
오후 3시의 바람 세기: 0.6 m/s
➡ 2.1−0.6=1.5 (m/s)

정답과 해설

3-1 그래프의 선이 가장 많이 기울어진 때는 2019년과 2020년 사이입니다.

2019년 키: 139 cm, 2020년 키: 143 cm

➡ 143－139＝4 (cm)

3-2 그래프의 선이 가장 많이 기울어진 때는 화요일과 수요일 사이입니다.

화요일의 관람자 수: 150명,

수요일의 관람자 수: 60명

➡ 150－60＝90(명)

4-1 날짜별 과자 판매량을 구해 봅니다.

10일: 60개, 11일 160개, 12일: 110개

➡ (13일의 과자 판매량)＝460－60－160－110

＝130(개)

4-2 요일별 내린 비의 양을 구해 봅니다.

월요일: 24 mm, 화요일: 20 mm, 목요일: 6 mm, 금요일: 28 mm

➡ (수요일에 내린 비의 양)＝86－24－20－6－28

＝8 (mm)

128~131쪽 2단계 실력 유형 연습

1 월 / 생산량

2

월	7	8	9	10	11
생산량(개)	500	800	1200	1500	1000

3 10월

4 서아

5 ⑤ / 꺾은선그래프

6 (1) 9 ℃ / 5 ℃   (2) 예 7 ℃

7 화요일, 금요일

8 수요일 / 80 m

9 예

초등학생 수

10 예 810명

11 900마리

12 (1)

연도(년)	2017	2018	2019	2020
난도 점수(점)	6.2	6.7	7.4	6.4
실시 점수(점)	9.3	9	9.3	9.8
합계(점)	15.5	15.7	16.7	16.2

(2) 2019년

2 세로 눈금 5칸이 500개를 나타내므로 세로 눈금 한 칸은 500÷5＝100(개)를 나타냅니다.

3 점이 가장 높게 찍힌 때는 10월입니다.

다른 풀이

장난감 생산량이

1500개 ＞ 1200개 ＞ 1000개 ＞ 800개 ＞ 500개
　10월　　9월　　11월　　8월　　7월

이므로 장난감 생산량이 가장 많은 때는 10월입니다.

4 장난감 생산량이 가장 많이 늘어난 때는 8월과 9월 사이입니다. 10월과 11월 사이에는 장난감 생산량이 줄어들었습니다.

5 ㉮: 그림그래프, ㉯: 막대그래프, ㉰: 꺾은선그래프

➡ 나이별 발 길이의 변화를 한눈에 알아보기 가장 쉬운 것은 ㉰ 꺾은선그래프입니다.

6 (1) 세로 눈금 4칸이 2 ℃를 나타내므로 세로 눈금 한 칸은 0.5 ℃를 나타냅니다.

(2) 오후 4시의 땅의 온도는 낮 12시의 땅의 온도인 9 ℃와 오후 8시의 땅의 온도인 5 ℃의 중간인 7 ℃일 것입니다.

7 그래프의 선이 오른쪽 아래로 내려간 때는 월요일과 화요일 사이, 목요일과 금요일 사이이므로 달린 거리가 전날에 비해 줄어든 요일은 화요일, 금요일입니다.

8 그래프의 선이 오른쪽으로 가장 많이 올라간 때는 화요일과 수요일 사이입니다.

화요일에 달린 거리: 520 m,

수요일에 달린 거리: 600 m

➡ 600－520＝80 (m)

10 2000년~2005년에 10명, 2005년~2010년에 20명, 2010년~2015년에 30명, 2015년~2020년에 40명이 줄었으므로 2025년에는 2020년보다 50명이 줄어들 것입니다.

➡ 860－50＝810(명)

11 돼지가 가장 많은 때는 점이 가장 높이 찍힌 2월로 3300마리이고, 가장 적은 때는 점이 가장 낮게 찍힌 5월로 2400마리입니다.

➡ 3300−2400=900(마리)

12 (1) 기록의 합계는 난도 점수와 실시 점수를 더합니다.

2018년: 6.7+9=15.7(점)

2019년: 7.4+9.3=16.7(점)

2020년: 6.4+9.8=16.2(점)

(2) 16.7>16.2>15.7>15.5이므로 난도 점수와 실시 점수의 합이 가장 높은 때는 2019년입니다.

132~137쪽 **3**단계 심화 유형 연습

심화 1 ❶ 2학년 ❷ 31 kg

1-1 35 %

심화 2 ❶ 200 kg

❷
감자 수확량

날짜(일)	수확량(kg)
6	3000
7	1600
8	2200
9	1800

감자 수확량

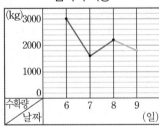

2-1
경민이의 몸무게

월	몸무게(kg)
3	32.3
4	32.5
5	32.9
6	32.7

경민이의 몸무게

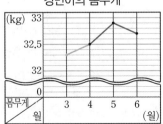

2-2
쓰레기 배출량

월	배출량(kg)
5	110
6	200
7	150
8	160

쓰레기 배출량

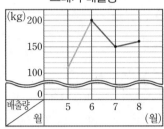

심화 3 ❶ 12 ℃ / 16 ℃ ❷ 예 14 ℃

3-1 예 58 cm

3-2 예 185 m

심화 4 ❶ 100대 ❷ 10칸

4-1 3칸

4-2 50 kg

심화 5 ❶

월	3	4	5	6	7
판매량(자루)	200	170	140	110	190

❷ 810자루 ❸ 243000원

5-1 812000원

심화 6 ❶ 7월 ❷ 0.5 cm

6-1 4 kg

심화 1 ❶ 승기의 키를 나타내는 꺾은선그래프에서 키가 130 cm일 때를 알아보면 2학년입니다.

❷ 몸무게를 나타내는 꺾은선그래프에서 2학년 때의 몸무게를 알아보면 31 kg입니다.

1-1 운동장의 온도를 나타내는 꺾은선그래프에서 온도가 24.5 ℃일 때를 알아보면 오후 3시입니다.

운동장의 습도를 나타내는 꺾은선그래프에서 오후 3시의 습도를 알아보면 35 %입니다.

참고
• 운동장의 온도를 나타내는 꺾은선그래프는 세로 눈금 2칸이 1 ℃를 나타내므로 세로 눈금 한 칸은 0.5 ℃를 나타냅니다.
• 운동장의 습도를 나타내는 꺾은선그래프는 세로 눈금 5칸이 5 %를 나타내므로 세로 눈금 한 칸은 1 %를 나타냅니다.

심화 2 　1 세로 눈금 5칸이 1000 kg을 나타내므로 세로
눈금 한 칸은 1000÷5=200 (kg)을 나타냅니다.

2-1 세로 눈금 5칸이 0.5 kg을 나타내므로 세로 눈금 한
칸은 0.1 kg을 나타냅니다.

2-2 세로 눈금 5칸이 50 kg을 나타내므로 세로 눈금 한
칸은 50÷5=10 (kg)을 나타냅니다.

심화 3 　1 세로 눈금 한 칸은 1 ℃를 나타냅니다.
　2 오후 12시 30분에 교실의 온도는 낮 12시의 온도
인 12 ℃와 오후 1시의 온도인 16 ℃의 중간인
14 ℃일 것입니다.

참고
막대그래프를 사용하면 막대그래프에 나타나 있지 않은 값
을 찾기 어려우나 꺾은선그래프를 사용하면 조사하지 않은
중간값을 예상할 수 있습니다.

3-1 4일에 나무의 키는 3일의 나무의 키인 52 cm와 5일
의 나무의 키인 64 cm의 중간인 58 cm일 것입니다.

3-2 4월 16일에 댐의 수위는 4월 1일의 댐의 수위인
182 m와 5월 1일의 댐의 수위인 188 m의 중간인
185 m일 것입니다.

심화 4 　1 세로 눈금 5칸이 100대를 나타내므로 세로
눈금 한 칸은 100÷5=20(대)를 나타냅니다.
➔ 2일과 3일의 세로 눈금은 5칸 차이가 나므로
자동차 생산량의 차는 20×5=100(대)입니다.

다른 풀이
2일: 420대, 3일: 520대
➔ 520-420=100(대)

　2 2일과 3일의 자동차 생산량의 차가 100대이므로
세로 눈금 한 칸을 10대로 하면 세로 눈금은
100÷10=10(칸) 차이가 납니다.

참고
• 세로 눈금 한 칸의 크기가 2배가 되면 세로 눈금의 차는
반으로 줄어듭니다.
• 세로 눈금 한 칸의 크기가 반으로 줄어들면 세로 눈금의
차는 2배가 됩니다.

4-1 세로 눈금 5칸이 50상자를 나타내므로 세로 눈금 한
칸은 50÷5=10(상자)를 나타냅니다. 2020년과
2021년의 세로 눈금은 6칸 차이가 나므로 포도 생산
량의 차는 10×6=60(상자)입니다.
➔ 세로 눈금 한 칸을 20상자로 하면 세로 눈금은
60÷20=3(칸) 차이가 납니다.

4-2 세로 눈금 5칸이 1000 kg을 나타내므로 세로 눈금
한 칸은 1000÷5=200 (kg)을 나타냅니다. 2018년
과 2019년의 세로 눈금은 4칸 차이가 나므로 쌀 수확
량의 차는 200×4=800 (kg)입니다.
➔ 세로 눈금이 16칸 차이가 나게 하려면 세로 눈금
한 칸은 800÷16=50 (kg)으로 해야 합니다.

심화 5 　1 세로 눈금 한 칸은 10자루를 나타냅니다.
　2 (전체 연필 판매량)
=200+170+140+110+190
=810(자루)
　3 (전체 연필 판매 금액)
=300×810=243000(원)

5-1 아이스크림 판매량을 각각 구하면
4월: 200개, 5월: 210개, 6월: 230개,
7월: 250개, 8월: 270개입니다.
(전체 아이스크림 판매량)
=200+210+230+250+270=1160(개)
➔ (전체 아이스크림 판매 금액)
=700×1160=812000(원)

심화 6 　1 두 선 사이가 가장 많이 벌어진 때는 7월입니다.
　2 (7월에 승호의 키)=136.1 cm,
(7월에 채윤이의 키)=136.6 cm
➔ 136.6-136.1=0.5 (cm)

참고
두 선 사이가 많이 벌어질수록 두 사람의 키의 차가 큽니다.

6-1 두 선 사이가 가장 많이 벌어진 때는 2017년입니다.
(2017년에 지호의 몸무게)=40 kg,
(2017년에 예진이의 몸무게)=36 kg
➔ 40-36=4 (kg)

참고
두 선 사이가 많이 벌어질수록 두 사람의 몸무게의 차가 큽니
다.

138~141쪽 Test 단원 실력 평가

1 꺾은선그래프

2 연도 / 학생 수

3 13명

4 2020년

5 47, 50, 44, 42

6 화요일

7 수요일

8
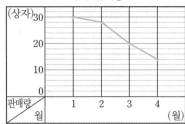
과자 판매량

9 1월과 2월 사이

10 예 과자 판매량이 계속 줄어들고 있습니다.

11 예 0.1 cm

12 예
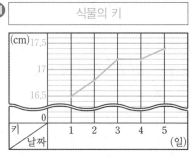
식물의 키

13 4일

14 5, 9;
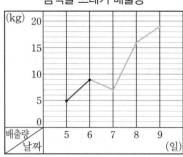
음식물 쓰레기 배출량

15 ㉡

16 9 kg

17 9일

18 예 ❶ 월평균 기온을 나타내는 꺾은선그래프에서 기온이 20 ℃일 때는 3월입니다.
❷ 3월의 미세 먼지 발생 날수는 13일입니다.
답 13일

19 예 15.8 ℃

20 50개

21
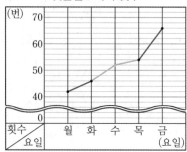
윗몸일으키기 횟수

22 8번

23 7월

24 예 ❶ 종서의 꺾은선에서 선이 가장 많이 기울어진 때는 6월과 7월 사이입니다.
❷ 형석이의 6월의 키는 142 cm이고 7월의 키는 142.4 cm이므로 0.4 cm만큼 더 컸습니다.
답 0.4 cm

25 예 약 0.2 cm

---

1 연속적으로 변화하는 양을 점으로 표시하고, 그 점들을 선분으로 이어 그린 그래프를 꺾은선그래프라고 합니다.

3 세로 눈금 한 칸은 1명을 나타냅니다.

4 점이 가장 낮게 찍힌 때는 2020년입니다.

5 세로 눈금 한 칸은 1분을 나타냅니다.

6 점이 가장 높게 찍힌 때는 화요일입니다.

7 그래프의 선이 오른쪽으로 가장 많이 내려간 때는 화요일과 수요일 사이입니다.

8 세로 눈금 5칸이 10상자를 나타내므로 세로 눈금 한 칸은 10÷5=2(상자)를 나타냅니다.

9 그래프의 선이 가장 적게 기울어진 때는 1월과 2월 사이입니다.

10
채점 기준	
과자 판매량의 변화를 바르게 씀.	4점

11 키를 0.1 cm 단위까지 조사하였으므로 세로 눈금 한 칸은 0.1 cm로 하는 것이 좋습니다.

13 선이 기울어지지 않은 때를 찾습니다.

15 ㉡ 음식물 쓰레기 배출량이 가장 적은 때는 5일입니다.

16 그래프의 선이 가장 많이 기울어진 때는 7일과 8일 사이입니다.
7일의 배출량: 7 kg, 8일의 배출량: 16 kg
➡ 16-7=9 (kg)

17 미세 먼지 발생 날수가 가장 많은 때는 5월(19일)이고, 가장 적은 때는 4월(10일)입니다.
➡ $19-10=9$(일)

18

채점 기준		
❶ 기온이 20 ℃일 때 몇 월인지 구함.	2점	4점
❷ ❶에서 구한 달의 미세 먼지 발생 날수를 구함.	2점	

19 오후 3시에 해수면의 온도는 오후 2시의 온도인 15.6 ℃와 오후 4시의 온도인 16 ℃의 중간인 15.8 ℃일 것입니다.

20 금메달 수를 연도별로 구해 보면 1996년: 7개, 2000년: 8개, 2004년: 9개, 2008년: 13개, 2012년: 13개입니다.
➡ (전체 금메달 수)$=7+8+9+13+13=50$(개)

21 요일별 윗몸일으키기 횟수를 구해 봅니다.
월요일: 42번, 화요일: 46번, 목요일: 54번, 금요일: 66번
➡ (수요일의 윗몸일으키기 횟수)
$=260-42-46-54-66=52$(번)

22 $54-46=8$(번)

23 두 선 사이가 가장 많이 벌어진 때는 7월입니다.

24

채점 기준		
❶ 종서의 키가 전달과 비교하여 가장 많이 컸을 때를 구함.	2점	4점
❷ ❶에서 구한 시기에 형석이의 키는 몇 cm 자랐는지 구함.	2점	

25 6월 16일에 종서의 키는 약 142.4 cm이고, 형석이의 키는 약 142.2 cm이므로 6월 16일에 두 사람의 키의 차는 약 $142.4-142.2=0.2$ (cm)입니다.

6 다각형

146~150쪽 **1단계 기본 유형 연습**

1 칠각형

2 ㉡, ㉣, ㉺

3 예 ㉢ / 예 다각형은 선분으로만 둘러싸인 도형인데 ㉢은 곡선도 있기 때문에 다각형이 아닙니다.

4

---

5 ( )( )( )(○)

6 (1) 예 육각형

(2) 예 칠각형

7 정삼각형

8 다, 라

9 정육각형

10 4

11 / (위부터) 정사각형, 정삼각형

12 아닙니다에 ○표 / 예 네 각의 크기는 모두 같지만 네 변의 길이가 모두 같지 않기 때문입니다.

13 ( )(○)( )

14 (1)   (2)

15 / 5개

16 ㉡

17 다

18 예 삼각형은 모든 꼭짓점이 이웃하고 있기 때문에 대각선을 그을 수 없습니다.

19 3 cm

20 삼각형, 사각형에 ○표

21 3개

22 (1) 예

(2) 예

23 방법 1 예

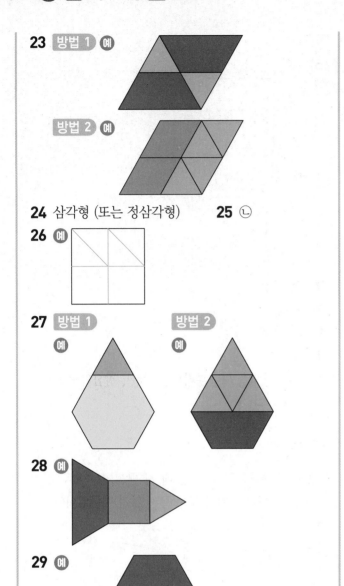

방법 2 예

24 삼각형 (또는 정삼각형)　　　**25** ㉡

26 예

27 방법 1 예　　　방법 2 예

28 예

29 예

1 변이 7개인 다각형은 칠각형입니다.

2 ㉡ 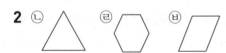 ㉣　㉻

3 다른 풀이
㉤은 선분으로 둘러싸여 있지 않고 열려 있기 때문에 다각형이 아닙니다.

4 다각형의 이름은 변의 수에 따라 정해집니다.
변이 5개: 오각형, 변이 8개: 팔각형

5 변이 5개인 다각형을 찾습니다.

6 (1) 변이 6개인 다각형을 그립니다.
(2) 변이 7개인 다각형을 그립니다.

7 변이 3개인 정다각형이므로 정삼각형입니다.

8 변의 길이가 모두 같고 각의 크기가 모두 같은 도형은 다, 라입니다.

9 변이 6개인 정다각형을 설명하고 있습니다.
➡ 정육각형

10 정팔각형은 8개의 변의 길이가 모두 같습니다.

참고
정다각형은 변의 길이가 모두 같습니다.

11 변의 길이와 각의 크기가 모두 같은 모양 조각을 찾습니다.
➡ 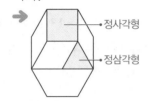 정사각형
정삼각형

12 평가 기준
정다각형이 아닌 까닭을 바르게 썼으면 정답입니다.

13 대각선은 서로 이웃하지 않는 두 꼭짓점을 이은 선분입니다.

14 서로 이웃하지 않는 두 꼭짓점을 선분으로 잇습니다.

15 서로 이웃하지 않는 두 꼭짓점을 선분으로 모두 이으면 대각선은 5개입니다.

주의
대각선을 셀 때 중복하여 세거나 빠뜨리지 않도록 주의합니다.

16 꼭짓점의 수가 많은 다각형일수록 더 많은 대각선을 그을 수 있으므로 대각선의 수가 더 많은 다각형은 ㉡ 팔각형입니다.

다른 풀이

㉠ 칠각형: 14개 ㉡ 팔각형: 20개
따라서 대각선의 수가 더 많은 다각형은 ㉡ 팔각형입니다.

17 마름모는 두 대각선이 서로 수직으로 만납니다.

18 평가 기준
삼각형은 모든 꼭짓점이 이웃하고 있어서 대각선을 그을 수 없다고 썼으면 정답입니다.

19 정사각형에 그을 수 있는 대각선의 길이는 모두 같습니다.
➜ (선분 ㄹㄴ)=(선분 ㄱㄷ)=3 cm

20

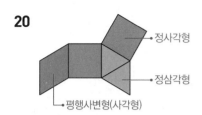

정사각형
정삼각형
평행사변형(사각형)

모양을 만드는 데 삼각형(정삼각형), 사각형(정사각형, 평행사변형)을 사용했습니다.

21 주어진 모양은 ◢◣ 모양 조각 3개로 만들 수 있습니다.

25 ㉡ 서로 겹치지 않게 이어 붙였습니다.

1-1 정구각형	**1**-2 정팔각형
1-3 정십이각형	**2**-1 6개
2-2 8개	**2**-3 9개

1-1 정다각형은 변의 길이가 모두 같으므로
변은 36÷4=9(개)입니다.
변이 9개인 정다각형은 정구각형입니다.

1-2 정다각형은 변의 길이가 모두 같으므로
변은 40÷5=8(개)입니다.
변이 8개인 정다각형은 정팔각형입니다.

1-3 변의 길이가 모두 같고 각의 크기가 모두 같은 다각형은 정다각형입니다.
정다각형의 변은 72÷6=12(개)이므로 정십이각형입니다.

2-1 길이를 비교하면서 어떻게 놓아야 할지 선을 그어 보면 오른쪽과 같습니다.
➜ 모양 조각은 모두 6개 필요합니다.

2-2 길이를 비교하면서 어떻게 놓아야 할지 선을 그어 보면 오른쪽과 같습니다.
➜ 모양 조각은 모두 8개 필요합니다.

2-3 길이를 비교하면서 어떻게 놓아야 할지 선을 그어 보면 오른쪽과 같습니다.
➜ 모양 조각은 모두 9개 필요합니다.

1 3개   **2** ③, ⑤

3 예

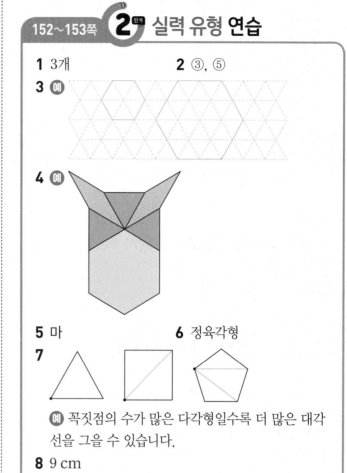

4 예

5 마   **6** 정육각형

7

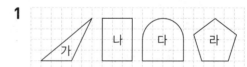

예 꼭짓점의 수가 많은 다각형일수록 더 많은 대각선을 그을 수 있습니다.

8 9 cm

1

선분으로만 둘러싸인 도형은 가, 나, 라로 모두 3개입니다.

2 ③ 대각선은 다각형에서 서로 이웃하지 않는 두 꼭짓점을 이은 선분입니다.
⑤ 원은 곡선으로만 이루어져 있기 때문에 다각형이 아닙니다.

3 한 변의 길이가 서로 다른 정육각형을 그립니다.

주의
정육각형은 변의 길이가 모두 같고 각의 크기가 모두 같습니다.

5 두 대각선의 길이가 같은 사각형은 라, 마, 바이고 이 중에서 두 대각선이 서로 수직으로 만나는 사각형은 마입니다.

6 ⌐ 변의 길이가 모두 같고 각의 크기가 모두 같은 다각형: 정다각형
 ⌐ 대각선 수가 9개인 다각형: 육각형
➜ 정육각형

7 다른 풀이

삼각형은 대각선을 그을 수 없습니다.

8 (정팔각형을 만드는 데 사용한 철사의 길이)
$=75-3=72$ (cm)
정팔각형은 8개의 변의 길이가 모두 같으므로 한 변의
길이는 $72 \div 8 = 9$ (cm)입니다.

주의

정팔각형을 만들고 남은 철사의 길이를 빼는 것을 잊지 않
도록 주의합니다.

154~159쪽 3단계 심화 유형 연습

심화 1 　1 2개 　2 5개 　3 3개
1-1 9개 　　　　　　**1-2** 11개
심화 2 　1 3 cm 　2 3 cm 　3 21 cm
2-1 28 cm 　　　　　**2-2** 36 cm
심화 3 　1 예 　　　　　2 540° 　3 108°

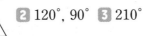

3-1 120° 　　　　　**3-2** 135°
심화 4 　1 16 cm 　2 32 cm
4-1 50 cm 　　　　　**4-2** 36 cm
심화 5 　1 　　　　　　2 120°, 90° 　3 210°

5-1 210° 　　　　　**5-2** 180°
심화 6 　1 50° 　2 이등변삼각형 　3 65°
6-1 35° 　　　　　　**6-2** 45°

심화 1 　3

가: 2개, 나: 5개 ➡ 5－2＝3(개)

1-1

육각형의 대각선의 수: 9개, 삼각형의 대각선의 수: 0개
➡ 9－0＝9(개)

1-2

사각형의 대각선의 수: 2개, 육각형의 대각선의 수: 9개
➡ 2＋9＝11(개)

심화 2 　1 $9 \div 3 = 3$ (cm)
　2 정육각형의 한 변의 길이는 정삼각형의 한 변의 길
이와 같습니다.
　3 빨간 선의 길이는 정삼각형의 한 변의 길이의 7배
입니다.
　➡ $3 \times 7 = 21$ (cm)

2-1 (정사각형의 한 변의 길이)
$=16 \div 4 = 4$ (cm)
(정오각형의 한 변의 길이)＝(정사각형의 한 변의 길
이)이므로 빨간 선의 길이는 정사각형의 한 변의 길이
의 7배입니다.
➡ $4 \times 7 = 28$ (cm)

2-2 (정오각형의 한 변의 길이)＝$30 \div 5 = 6$ (cm)
(정삼각형의 한 변의 길이)＝(정오각형의 한 변의 길
이)이므로 빨간 선의 길이는 정오각형의 한 변의 길이
의 6배입니다.
➡ $6 \times 6 = 36$ (cm)

심화 3 　2 정오각형은 삼각형 3개로 나눌 수 있으므로
모든 각의 크기의 합은 $180° \times 3 = 540°$입니다.
　3 정오각형은 모든 각의 크기가 같으므로 한 각의 크
기는 $540° \div 5 = 108°$입니다.

3-1 정육각형은 삼각형 4개로 나눌 수 있으
므로 모든 각의 크기의 합은
$180° \times 4 = 720°$입니다.
➡ 정육각형의 한 각의 크기는 $720° \div 6 = 120°$입니
다.

3-2 정팔각형은 삼각형 6개로 나눌 수 있으므
로 모든 각의 크기의 합은
$180° \times 6 = 1080°$입니다.
➡ $1080° \div 8 = 135°$이므로 정팔각형의 한 각의 크기
는 135°입니다.

심화 4 　1 마름모의 두 대각선의 길이의 합은 직사각형
의 가로와 세로의 합과 같습니다.
　2 (직사각형의 네 변의 길이의 합)
$=16 \times 2 = 32$ (cm)

4-1 마름모의 두 대각선의 길이의 합은 직사각형의 가로
와 세로의 합과 같습니다.
→ (직사각형의 네 변의 길이의 합)
$=25 \times 2 = 50$ (cm)

4-2 작은 정사각형의 한 대각선의 길이는 큰 정사각형의
한 변의 길이와 같습니다.
→ (큰 정사각형의 네 변의 길이의 합)
$=9 \times 4 = 36$ (cm)

심화 5 ❶

❷ ㉠ 정삼각형의 두 각의 크기의 합이므로
$60° + 60° = 120°$입니다.
㉡ 정사각형의 한 각의 크기이므로 $90°$입니다.

❸ ㉠＋㉡＝$120° + 90° = 210°$

5-1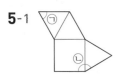

㉠ 정삼각형의 한 각의 크기이므로 $60°$입니다.
㉡ 정사각형의 한 각과 정삼각형의 한 각의 크기의 합
이므로 $90° + 60° = 150°$입니다.
→ ㉠＋㉡＝$60° + 150° = 210°$

5-2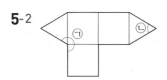

㉠ 정삼각형의 한 각과 정사각형의 두 각의 크기의 합
이므로 $60° + 90° + 90° = 240°$입니다.
㉡ 정삼각형의 한 각의 크기이므로 $60°$입니다.
→ ㉠－㉡＝$240° - 60° = 180°$

심화 6 ❶ (각 ㄱㅁㄴ)＝$180° - 130° = 50°$

❷ 직사각형의 두 대각선의 길이는 서로 같고 한 대각
선은 다른 대각선을 똑같이 둘로 나누므로
선분 ㄱㅁ과 선분 ㄴㅁ의 길이는 같습니다.
따라서 삼각형 ㄱㄴㅁ은 이등변삼각형입니다.

❸ (각 ㄱㄴㅁ)＋(각 ㄴㄱㅁ)＝$180° - 50° = 130°$
→ (각 ㄱㄴㅁ)＝$130° ÷ 2 = 65°$

6-1 (각 ㄹㅁㄷ)＝$180° - 70° = 110°$
직사각형의 두 대각선의 길이는 서로 같고 한 대각선
은 다른 대각선을 똑같이 둘로 나누므로 선분 ㅁㄹ과
선분 ㅁㄷ의 길이는 같습니다. 따라서 삼각형 ㅁㄷㄹ
은 이등변삼각형입니다.

(각 ㅁㄹㄷ)＋(각 ㅁㄷㄹ)＝$180° - 110° = 70°$
→ (각 ㅁㄹㄷ)＝$70° ÷ 2 = 35°$

6-2 정사각형은 두 대각선이 서로 수직으로 만나므로
각 ㄴㄷㄷ의 크기는 $90°$입니다.
정사각형의 두 대각선의 길이는 서로 같고 한 대각선
은 다른 대각선을 똑같이 둘로 나누므로 선분 ㅁㄴ과
선분 ㅁㄷ의 길이는 같습니다. 따라서 삼각형 ㅁㄴㄷ은
이등변삼각형입니다.
(각 ㅁㄷㄴ)＋(각 ㅁㄴㄷ)＝$180° - 90° = 90°$
→ (각 ㅁㄷㄴ)＝$90° ÷ 2 = 45°$

160~163쪽 **Test** **단원 실력 평가**

1 ㉡

2 ⓔ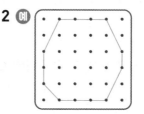

3 4개

4 정오각형

5 5개

6 ①, ②, ④

7 ❶ 칠각형 / ❷ ⓔ 7개의 변으로 둘러싸인 도형이
므로 칠각형입니다.

8 건우

9 가, 다

10 가, 라

11 104 cm

12 ㉢, ㉠, ㉡

13 12°

14 ⓔ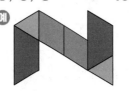

15 36 cm

16 가, 5개

17 1260°

18 ㉠, ㉢, ㉣

19 11 cm

20 정사각형

21 30 cm

22 ⓔ ❶ (정삼각형의 모든 변의 길이의 합)
$= 16 \times 3 = 48$ (cm)
❷ 정팔각형의 모든 변의 길이의 합도 48 cm입니다.
❸ 정팔각형의 한 변의 길이는 $48 ÷ 8 = 6$ (cm)입
니다.
답 6 cm

23 ⓔ ❶ 삼각형의 세 각의 크기의 합은 180°입니다.
❷ 오각형은 삼각형 3개로 나누어지므로 오각형의
모든 각의 크기의 합은 $180° \times 3 = 540°$입니다.
답 540°

24 60 cm

25 36°

1 서로 이웃하지 않는 두 꼭짓점을 이은 선분을 찾으면
ⓒ입니다.

3 다각형은 선분으로만 둘러싸인 도형입니다.

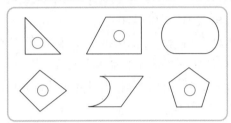

4 변의 길이가 모두 같고 각의 크기가 모두 같은 다각형
을 찾습니다.

5 서로 이웃하지 않는 두 꼭짓점을 선분
으로 모두 이으면 대각선은 5개입니
다.

6 정삼각형 2개, 정사각형 1개, 정육각형 1개, 평행사변형
1개로 만든 모양입니다.

7
채점 기준		
❶ 다각형의 이름을 바르게 씀.	2점	4점
❷ 까닭을 바르게 씀.	2점	

8 정다각형은 변의 길이가 모두 같고 각의 크기가 모두
같은 다각형입니다.

9 두 대각선의 길이가 같은 사각형은 정사각형인 **가**와 직
사각형인 **다**입니다.

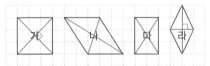

10 두 대각선이 서로 수직으로 만나는 사각형은 정사각형
인 **가**와 마름모인 **라**입니다.

11 정팔각형은 8개의 변의 길이가 모두 같습니다.
➡ $13 \times 8 = 104$ (cm)

12 변의 수가 많을수록 그을 수 있는 대각선의 수가 많습
니다. 따라서 ⓒ 칠각형, ㉠ 육각형, ⓛ 사각형 순서대
로 대각선의 수가 많습니다.

다른 풀이
대각선의 수를 알아보면
㉠ 육각형: 9개, ⓛ 사각형: 2개, ⓒ 칠각형: 14개입니다.
따라서 ⓒ, ㉠, ⓛ 순서대로 대각선의 수가 많습니다.

13 정다각형은 각의 크기가 모두 같으므로
㉠$=108°$, ⓛ$=120°$입니다.
➡ ⓛ$-$㉠$=120°-108°=12°$

14 여러 가지 방법이 있습니다.

예

15 직사각형의 대각선의 길이는 18 cm입니다.
직사각형은 두 대각선의 길이가 같으므로
합은 $18+18=36$ (cm)입니다.

16 가 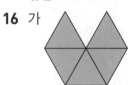 나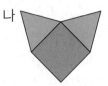

17 정구각형은 9개의 각의 크기가 모두 같습니다.
➡ $140° \times 9 = 1260°$

18 정팔각형은 팔각형 중에서 변의 길이가 모두 같고 각의
크기가 모두 같은 다각형입니다. 따라서 변의 수와 각
의 수는 각각 8개로 같고, 모든 각의 크기의 합도 같습
니다.

19 (정육각형을 만드는 데 사용한 철사의 길이)
$=70-4=66$ (cm)
(정육각형의 한 변의 길이)$=66 \div 6 = 11$ (cm)

20 변의 길이가 모두 같고 각의 크기가 모두 같은 다각형
은 정다각형입니다. 대각선이 모두 수직으로 만나는
정다각형은 정사각형입니다.

21 마름모는 한 대각선이 다른 대각선을 똑같이 둘로 나누
므로 (변 ㄴㅁ)$=24 \div 2 = 12$ (cm),
(변 ㄱㅁ)$=10 \div 2 = 5$ (cm)입니다.
➡ (삼각형 ㄱㄴㅁ의 세 변의 길이의 합)
$=13+12+5=30$ (cm)

22
채점 기준		
❶ 정삼각형의 모든 변의 길이의 합을 구함.	1점	4점
❷ 정팔각형의 모든 변의 길이의 합을 구함.	1점	
❸ 정팔각형의 한 변의 길이를 구함.	2점	

23
채점 기준		
❶ 삼각형의 세 각의 크기의 합을 알아봄.	2점	4점
❷ 오각형의 모든 각의 크기의 합을 구함.	2점	

24 (정육각형의 한 변)$=90 \div 6 = 15$ (cm)
모양 조각으로 정육각형을 만들었으므로 모양 조각의
네 변의 길이는 같습니다. 모양 조각의 한 변의 길이는
15 cm이므로 모든 변의 길이의 합은
$15 \times 4 = 60$ (cm)입니다.

25 정오각형의 한 각의 크기는 $108°$이
고 삼각형 ㄱㄹㅁ은 이등변삼각형
이므로 ⓒ$+$ⓒ$+108°=180°$,
ⓒ$+$ⓒ$=72°$, ⓒ$=36°$입니다.
➡ ⓛ$=$ⓒ이므로
㉠$=108°-36°-36°=36°$입니다.

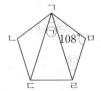

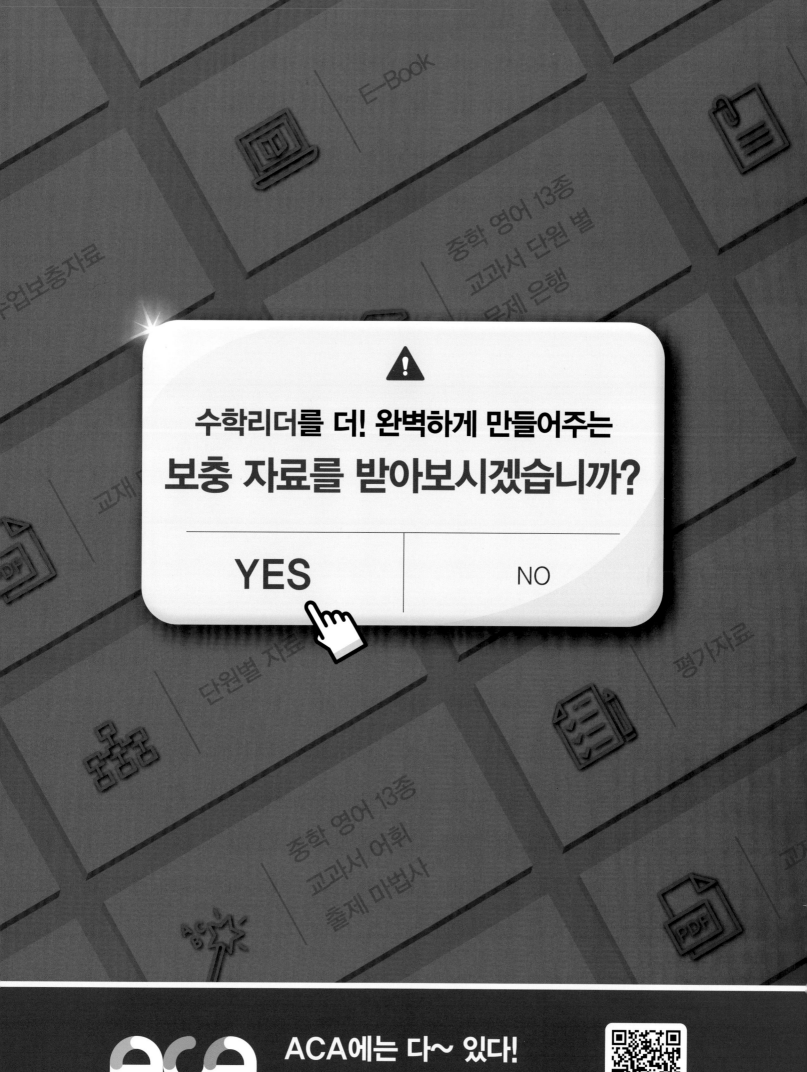

정답은
이안에
있어!

시험 대비교재

- **올백 전과목 단원평가**
  1~6학년/학기별
  (1학기는 2~6학년)

- **HME 수학 학력평가**
  1~6학년/상·하반기용

- **HME 국어 학력평가**
  1~6학년

논술·한자교재

- **YES 논술**
  1~6학년/총 24권

- **천재 NEW 한자능력검정시험 자격증 한번에 따기**
  8~5급(총 7권) / 4급~3급(총 2권)

영어교재

- **READ ME**
- – Yellow 1~3
  2~4학년(총 3권)
- – Red 1~3
  4~6학년(총 3권)

- **Listening Pop**
  Level 1~3

- **Grammar, ZAP!**
- – 입문
  1, 2단계
- – 기본
  1~4단계
- – 심화
  1~4단계

- **Grammar Tab**
  총 2권

- **Let's Go to the English World!**
- – Conversation
  1~5단계, 단계별 3권
- – Phonics
  총 4권

예비중 대비교재

- **천재 신입생 시리즈**
  수학 / 영어

- **천재 반편성 배치고사 기출 & 모의고사**

기본기와 서술형을 한 번에, 확실하게
수학 자신감은 덤으로!

수학리더 시리즈 (초1~6 / 학기용)

[연산]
(*예비초~초6/총14단계)

[개념]

[기본]

[유형]

[기본＋응용]

[응용·심화]

[최상위]
(*초3~6)